Claude
09/17

Prise de parole

Éditions Prise de parole
C.P. 550, Sudbury (Ontario)
Canada P3E 4R2
www.prisedeparole.ca

Nous reconnaissons l'aide financière du gouvernement du Canada par l'entremise du Fonds du livre du Canada (FLC) et du programme Développement des communautés de langue officielle de Patrimoine canadien, ainsi que du Conseil des Arts du Canada, pour nos activités d'édition. La maison d'édition remercie le Conseil des Arts de l'Ontario et la Ville du Grand Sudbury de leur appui financier.

RÉVOLUTION !

Du même auteur

Ricordi altrui, nouvelles, Cuneo (Italie), Nerosubianco éd., 2016.

*La littérature de l'anarchisme. Anarchistes de lettres et lettrés face à
    l'anarchisme,* étude, Grenoble, Éditions littéraires et linguistiques
    de l'Université de Grenoble (ELLUG), 2014.

*Nouvelles anarchistes : la création littéraire dans la presse militante
    (1890-1946),* étude, Grenoble, Éditions littéraires et linguistiques
    de l'Université de Grenoble (ELLUG), 2012.

Dumas l'irrégulier, étude, Limoges (France), Presses de l'Université
    de Limoges (PULIM), 2011.

La cathédrale sur l'océan, roman, Sudbury, Prise de parole, 2009.

Émile Zola au pays de l'Anarchie, textes réunis et présentés par
    Vittorio Frigerio, Grenoble, ELLUG, 2006.

Naufragé en terre ferme, roman, Sudbury, Prise de parole, 2005.

Les fils de Monte-Cristo. Idéologie du héros de roman populaire, étude,
    Limoges (France), Presses de l'Université de Limoges (PULIM),
    2002.

avec C. Renevey (dir.), *Dans le palais des glaces de la littérature
    romande,* étude, Amsterdam (Pays-Bas), Rodopi, 2002.

Sviamenti dell'ingegno, nouvelles, Mendrisio (Suisse), Josef Weiss
    editore, 2001.

La dernière ligne droite, roman, Toronto, Éditions du GREF, 1997.

Au bout de la rue, nouvelles, Hull, Éditions Vents d'Ouest, 1995.

Belphégor – Littérature populaire et culture médiatique,
    http://belphegor.revues.org/.

Trente exemplaires de cet ouvrage ont été numérotés et signés par l'auteur.

Vittorio Frigerio

Révolution !

Nouvelles

Éditions Prise de parole
Sudbury 2017

Œuvre en première de couverture : Félix Vallotton, *La manifestation*, 1983, gravure sur bois, 20,3 x 32 cm. Crédit photographique : Fondation Félix Vallotton, Lausanne
Conception de la première de couverture : Olivier Lasser
Accompagnement : Johanne Melançon
Révision linguistique : denise truax
Lecture d'épreuves : Suzanne Martel, Gérald Beaulieu
Infographie : Alain Mayotte

Diffusion au Canada : Dimedia

Catalogage avant publication de Bibliothèque et Archives Canada
Frigerio, Vittorio, 1958-, auteur
Révolution! / Vittorio Frigerio.
Nouvelles. Publié en formats imprimé(s) et électronique(s).
    ISBN 978-2-89744-063-3 (livre imprimé). – I
    SBN 978-2-89744-064-0 (PDF).– ISBN 978-2-89744-065-7 (EPUB)
I. Titre.
    PS8561.R4977R48 2017   C843'.54   C2017-900209-0
                                                C2017-900210-4

ISBN 978-2-89744-063-3 (Papier)
ISBN 978-2-89744-064-0 (PDF)
ISBN 978-2-89744-065-7 (ePub)

À Carolyn,
moteur de toutes mes révolutions intimes.

Ils me font rire, ces révolutionnaires à la manque,
qui n'ont oublié qu'une chose : se révolutionner eux-mêmes.
Gérard de Lacaze-Duthiers, *Visages de ce temps.*
Tour d'horizon sur le monde actuel

La journée des familles à l'Exposition universelle

Ils faisaient tache. Ils étaient là devant la porte, tous les sept, et ils attendaient d'un air béat, les parents du moins, pendant que leur engeance se disputait, se chamaillait, criait et sautait dans tous les sens sans que personne n'ose vraiment intervenir. Il faut dire qu'ils étaient encore dehors. Cela aurait été tout autre chose s'ils avaient été dedans. Mais il fallait attendre. Attendre et voir. Ça ne se passerait pas comme ça, sûrement. On remettrait de l'ordre dans tout ça. Sûr et certain. C'était une question de minutes, car même s'ils étaient les premiers, ils ne pourraient tout de même pas prétendre à une quelconque immunité. Il se trouverait quelqu'un pour intervenir.

Mais en attendant les portes étaient toujours fermées, et derrière, dans la queue qui s'allongeait maintenant tellement loin que la vue n'arrivait pas à la saisir toute, on remarquait ici et là des îlots, des groupes bariolés, d'autres taches, enfin, qu'on ne se serait pas nécessairement attendu à y voir. En des conditions normales. Seulement, celles-ci, l'étaient-elles ?

Il était dimanche. Évidemment, jour de repos. Pour tout le monde, y compris ceux qui ne se tuent pas forcément à la tache pendant les six journées précédentes. Mais ainsi va la vie et la situation sociale et politique étant ce qu'elle est, on ne peut tout de même pas encore faire ce qui devrait être fait pour que ça ne se reproduise pas. Ce qui serait tout de même nettement préférable. D'autant plus qu'il y avait aussi des touristes, et nombreux, ce qui signifiait que le bon nom de la capitale, du pays entier, était de quelque façon en jeu.

Douter était peut-être malvenu. Les autorités, bienveillantes et toujours attentives, sauraient certainement remettre les pendules à l'heure. Pourquoi donc présumerait-on qu'on pourrait permettre à de tels individus, si évidemment imprésentables, de gâcher une splendide journée éducative et en même temps amusante, destinée à laisser une trace indélébile dans la mémoire des Parisiens ainsi que des visiteurs étrangers ? Après tout, c'était le début du nouveau siècle. On était face à la vitrine dans laquelle se mirerait le pays entier, représenté pour l'occasion par ceux qui pouvaient arriver jusque là grâce aux transports en commun, s'ils ne possédaient pas de moyen de locomotion privé plus respectable; et par ceux qui avaient pris le train depuis les provinces, qui avaient prévu un séjour parfois de plusieurs jours, qui venaient investir leurs épargnes pour le plus grand bien de l'économie de la capitale et qui comptaient sans doute retourner dans leur campagne avec assez de souvenirs pour les ressasser indéfiniment dans les soirées des chaumières, au coin du feu, devant les mines admiratives de leurs descendants, qui n'auraient jamais cette chance. Car l'Exposition universelle, ça n'arrive pas tous les jours.

Le fait était cependant que tout en haut de la queue, près de l'entrée, se tenait néanmoins un bonhomme qui n'avait pas au fond l'air particulièrement méchant ni sans doute dangereux, en tout cas à en juger par le vaste sourire qui tirait vers des oreilles considérables les coins d'une bouche aux lèvres généreuses, mais qu'on s'imaginait difficilement au premier rang de quoi que ce soit. Ils avaient dû attendre longtemps, sa famille et lui. Ça ne paraissait pas l'avoir affecté. Il avait, aurait-on dit, la quarantaine. Il portait une blouse bleue qui trahissait clairement ses origines et suggérait que son sang ne risquait pas d'être de la même couleur. Sur une tête aux cheveux hirsutes, il exhibait un chapeau en tuyau de poêle sur lequel on avait dû s'asseoir bon nombre de fois par mégarde. Ses yeux grands et curieux, quoique légèrement voilés, ne pouvaient pas faire oublier à ceux qui se trouvaient à côté de lui le relent impressionnant d'ail et de tabac qui émanait tel un brouillard solide de toute sa personne. À l'épaule, il avait nonchalamment pendu un sac en toile rendue transparente par l'usage, généreusement pourvu de trous et de déchirures pour en faire respirer le contenu. Par lesdits orifices celui-ci exhibait un litron de piquette dépourvu de toute étiquette, un pain d'une livre doré et croustillant, un énorme saucisson et quelque chose qui devait être probablement un bout de veau froid, accompagné de quelques oranges. À côté du porteur du sac, le zyeutant d'un regard bizarrement admirateur, se tenait une dame encore très avenante malgré le fait qu'elle devait avoir désormais atteint la trentaine et qu'elle était visiblement responsable de l'existence de la cohorte bruyante de gamins qui les entourait les deux. Elle portait une robe noire, qu'elle gardait très vraisemblablement pour les jours de fête, luisante aux coudes et à l'arrière, trop légère peut-être pour la saison, et exhibait de travers sur une petite tête aux cheveux blonds mi-longs un chapeau de paille qui avait bien dû lui coûter dix centimes. Mais elle avait de belles chaussures, comme toutes les Parisiennes, et soigneusement cirées. Les enfants, ma foi, c'était des enfants. Les plus grands, habillés de chemises et de pantalons courts encore relativement acceptables, les plus petits, progressivement, couverts des restes de leurs aînés passés de l'un à l'autre et de génération en génération. Pour être franc, ils avaient l'air de sortir tout droit de Belleville. Ils n'étaient pas les seuls membres de leur classe, loin de là, on l'a dit, mais leur position les désignait nécessairement aux regards, qu'ils soutenaient sans la moindre gêne. L'homme se prenait même de temps à autre à ricaner tout bas, tout en carrant ses épaules d'un air légère-ment crâneur, comme s'il appréciait de se retrouver ainsi le point de mire de la foule qui se déroulait der-rière lui tel un long ruban multicolore.

Les conversations fusaient. Le sujet, étant donné le lieu et le moment, était passablement prévisible. On entendait de toutes parts commenter l'assassinat du roi d'Italie, rapproché de la tentative de meurtre commise à l'égard du Shah de Perse. Seulement, au lieu d'entendre les commentaires tristes et compassés auxquels on aurait dû pouvoir s'attendre étant donné la gravité des événements, on pouvait être surpris d'écouter des bribes de discours qui, se fut-il trouvé un gendarme assez solide et déterminé au milieu de la foule, auraient valu aux téméraires qui les tenaient pour le moins une solide gifle sur des lèvres qu'ils auraient mieux fait de boucler. Le fait que de tels actes de simple et élémentaire justice ne se produisent pas témoignait de la précarité de l'époque, sans doute plus que de tout respect de la neutralité du dimanche, jour d'ailleurs moins consacré au Seigneur par certains qu'il ne l'était aux beuveries et ripailles de toutes sortes.

Il y eut des bruits, des exclamations, et la colonne s'ébroua. Les portes s'ouvrirent et la foule pénétra dans les lieux comme un fleuve en crue qui s'épand sur les plaines. Ce n'étaient pas les choses à voir qui manquaient, et à vrai dire l'embarras du choix pouvait effectivement présenter un défi difficilement résoluble pour quelqu'un qui n'aurait pas su d'avance dans quel ordre et sur la base de quelles préférences et de quels intérêts il allait organiser ses découvertes. Comme cela peut cependant arriver dans de telles situations, on ne demeure pas toujours nécessairement aussi maître de ses mouvements qu'on le souhaiterait. Et c'est ainsi que quasiment sans m'en rendre compte, poussé d'un côté, tiré de l'autre, incapable de dévier alors que je l'aurais désiré ou d'obliquer lorsque cela se serait imposé, je me trouvai graduellement orienté vers le pavillon de la ville de Paris. Il va sans dire que je me serais fait un plaisir de le visiter, motivé par la fierté tout à fait compréhensible que devrait ressentir tout citoyen de la capitale pour l'exhibition des innombrables supériorités dont la Ville Lumière peut légitimement se vanter. Mais de préférence, j'aurais privilégié d'abord quelque exposition plus exotique, telles celles dont on parlait tant, consacrées aux colonies et à la propagation de la culture et de la civilisation françaises auprès des populations noires et jaunes, avides d'apprendre et d'imiter le lumineux exemple qu'on leur offrait avec tant de bienveillance. On ne peut toutefois pas toujours choisir comme on l'aimerait, serré en plein milieu d'une masse enthousiaste, la direction à prendre. Je me retrouvai ainsi progressivement orienté dans le sens de la salle hébergeant l'exposition soignée par la Préfecture de police. Cela devait valoir comme garantie d'un contenu irréprochablement pédagogique. Et il n'y avait en fait qu'à se réjouir du nombre important de visiteurs qui choisissaient cette destination de préférence à toute autre, courant presque pour parvenir avant les autres à l'entrée de cette section si populaire de l'exposition.

L'ouvrier au chapeau irrégulier et au sac de provisions rebondi, talonné de près par sa tribu, semblait mener la charge. Ils pénétrèrent dans la salle et se figèrent en admiration ébahie devant les vitrines qui en faisaient le tour, vite rejoints par d'autres groupes également débraillés, ou du moins imparfaitement vêtus eu égard aux circonstances. Plusieurs collaient aux vitres leur nez volontiers bulbeux, les embuant d'haleines douteuses. Et on avait l'impression que maintenant qu'ils étaient parvenus à l'intérieur, le peu de retenue dont ils avaient pu faire preuve alors qu'ils faisaient la queue à l'entrée s'était entièrement évaporé, laissant la place à tout le naturel exubérant, quoique peu distingué, qui les caractérisait.

— Eh, vise-moi un peu ce surin ! s'exclama devant moi un bonhomme aux yeux porcins, au-dessous desquels s'étalaient des poches pâles et gonflées. Y a de quoi faire du bon boulot avec, si on a du poil au ventre !...

— Sans blague, répondit un jeunot qui ne devait pas avoir vingt ans, mais à qui les épaules voûtées et la poitrine creuse prêtaient l'air d'un vieillard maladif. Faut croire que le zigue qui l'a manié savait s'y prendre ! T'as vu ce qu'il y a d'écrit sur le papelard juste devant ?

— Charrie pas ! réagit un petit nerveux au crâne largement dégarni d'où s'échappaient seulement quelques touffes de longs cheveux au-dessus des oreilles, lui descendant jusque sur les épaules. Tu veux te faire mousser pasque t'as de l'éducation ?

— Quoi qu'y a d'écrit ? demandèrent encore d'autres en chœur, visiblement intrigués. Et alors le jeunot redressa avec fierté sa charpente débile, laissa sa pomme d'Adam monter et descendre deux ou trois fois le long d'un cou qu'on aurait pu croire emprunté à un poulet déjà suspendu à l'étal d'un boucher, et déclama :

— Poignard avec lequel l'ignoble assassin Ravaillac frappa à mort le roi Henri IV le 14 mai 1610.

Il y eut un silence.

— C'est écrit en toutes lettres, spécifia l'érudit, craignant qu'on ne lui accorde pas une confiance entière.

— Y a écrit *ignoble* ? demanda une voix du fond de la salle.

— Ça veut dire quoi ? voulut savoir un autre.

— C'est le contraire de noble, expliqua le jeunot en se pavanant.

— Ah bon ! dit un type qui ne savait pas quoi dire d'autre. Et on avança vers la vitrine suivante.

Tout à côté, il y avait la porte de l'ancienne prison de la Conciergerie, celle-là même que la reine Marie-Antoinette avait franchie sur le chemin de ce qu'une voix avinée, quelque part devant moi, définit en grasseyant « la bascule à Charlot ». Mais une porte est une porte, et il faut de l'imagination pour s'imaginer quelqu'un qui la traverse. Et l'imagination visuelle ne devait pas nécessairement être le fort du groupe dans lequel je me trouvais maintenant solidement enchâssé. Un peu plus loin, en revanche, on pouvait admirer une douzaine de canons de fusil rouillés et déformés, réunis en une file horizontale par deux barres métalliques placées au-dessus et au-dessous, solidement vissées l'une à l'autre. Certains des canons étaient à un tel point tordus qu'on aurait pu croire qu'ils avaient été tirés d'une fournaise. Une fois de plus, le groupe se figea en admiration devant l'ensemble.

— Et ça, c'est quoi ? demanda un bonhomme qui devait bien avoir dépassé la cinquantaine, aux bras et au torse anormalement musclés par quelque action répétitive, alors que ses hanches et ses jambes semblaient appartenir à un enfant rachitique.

— Ça... annonça le jeunot, tout gonflé d'orgueil d'avoir été choisi comme interprète auprès des visiteurs de ce qui se trouvait inscrit sous les diverses pièces exposées, ...c'est une moitié de la machine infernale qu'a utilisée Fieschi pour attenter à la vie du roi Louis-Philippe, alors qu'il traversait le Boulevard du Temple, après avoir passé en revue la Garde Nationale, le 18 novembre 1835.

Et il exhala un gros soupir, comme si la phrase avait été un brin trop longue pour ses capacités pulmonaires.

— C'est quoi, une machine infernale ? lâcha une jeune femme dont le bronzage indiquait à ne pas s'y tromper une fille de ferme.

— Oh ! répliqua un vieil homme à la barbe grise qui donnait l'air d'être mangée aux mites, « c'est une machine qu'on bourrait de poudre et d'explosifs pour faire sauter en l'air les rois et les capitalistes.

— Et il l'a eu, le tyran ? demanda le plus petit du couple qui m'avait précédé dans la salle, qui, à en juger par sa mine et ses pantalons courts, ne devait pas avoir plus de cinq ans.

Le jeunot allongea encore un peu son cou vers la vitrine et remua les lèvres silencieusement pendant qu'il lisait le reste de la feuille qu'on avait posée sous l'assemblage torturé de tuyaux de métal.

— Il l'a loupé. Mais l'explosion a bousillé un certain maréchal Mortier. Et puis le général de Verigny. Sans parler du colonel Raffe, du lieutenant-colonel Rieussec et puis encore huit grenadiers.

— Déjà ça de pris, commenta quelqu'un qui devait compter lâchement sur la protection de la foule anonyme pour exprimer librement de tels propos criminels.

— Et c'est tout ? cria une voix depuis le fond, qui paraissait déçue.

— Euh, et puis un vieil homme et une fillette, qu'on dit, compléta le jeunot.

Une femme, cédant à la bienheureuse sensibilité de son sexe, suggéra :

C'est malheureux...

— C'est le prix à payer, répliqua brusquement l'homme aux larges épaules, l'air sûr de lui.

Pendant que nous commencions à faire le tour des nombreuses reliques que contenait la salle, la foule n'avait cessé de se presser aux portes, et en peu de temps il ne restait littéralement plus la place de se retourner. On avançait emporté par le mouvement collectif du groupe, à petits pas, bien incapable d'influer dans un sens quelconque sur la direction qu'il aurait mieux valu prendre.

— Mate-moi ça ! s'exclama quelqu'un que je ne parvenais pas à voir. C'est les balles qu'a tirées Orsini. Non mais, sans blague ! Ils les ont carrément gardées !

— Elles pourront toujours resservir, suggéra un autre, lâchant un caquètement essoufflé.

— Et ça ! hurla un autre, c'est l'ordre d'exécution de Ravaillac !

— Ça aussi, ça pourra resservir, proposa quelqu'un. Y aura qu'à changer le nom.

— Je peux en proposer un ou deux, avança une brute au cou de taureau et au front sillonné de trois rides profondes, qui lui faisaient comme des bourrelets de chair au-dessus de petits yeux profondément enfoncés.

— Et moi une demi-douzaine de plus, proposa encore un autre pendant que de part et d'autre éclataient des rires saccadés.

On comprendra que le voisinage aussi rapproché de tels exemples douteux d'humanité ne me causait pas le plus grand plaisir, mais je me consolais en pensant que je pourrais sans doute tirer de cette désagréable expérience des enseignements moraux susceptibles d'éclairer le chemin de mes propres descendants, encore trop jeunes d'ailleurs pour être venus en visite à l'Exposition. Cela fournirait matière à des anecdotes fortement éducatives quand ils auraient atteint l'âge de comprendre les questions sociales. Je me dis par conséquent que je prendrais des notes sur tout cela dès que je serais rentré à la maison, pour être sûr de ne rien oublier qui puisse servir à leur éducation éthique.

Nous parvînmes petit à petit face à un mur sur lequel se trouvaient exposés, en des cadres sobres, une série de portraits saisissants. Certaines des figures présentées auraient sans doute fait les délices de M. Lombroso et des physiognomonistes de son école, qui n'auraient pas manqué d'y relever les signes ineffaçables d'une bassesse innée et de tendances criminelles gravées à ne pas s'y tromper dans les traits mêmes du visage. C'est à cet endroit plus qu'à tout autre que la parenté entre les visiteurs parmi lesquels je me trouvai et les objets de leur admiration ressortait de la manière la plus transparente. À vrai dire, les têtes qui regardaient et celles qui étaient contemplées avaient plus qu'un air de famille. Elles auraient pu dans bien des cas être considérées interchangeables, et il me vint à l'esprit avec un frisson de peur l'horrible pensée qu'un jour, peut-être, lors de quelque Exposition universelle d'un avenir lointain, d'autres tristes hères de la même sorte admireraient pareillement la photographie d'un des hommes qui me serraient maintenant au milieu de leurs rangs, qui se serait rendu coupable de qui sait quel crime immonde. Et pourtant, le spectacle ici préparé avait bien été conçu pour pénétrer les esprits les plus obtus de l'horreur des gestes violents et inconsidérés commis par ces monstres des temps jadis. Mais le message, fort probablement, finissait par se déformer dans les circonvolutions cérébrales déficientes de la plèbe qui y était accourue.

Tous se pressaient devant les portraits. Ceux qui arrivaient à déchiffrer les noms figurant sur les cartouches des cadres – et il y en avait maintenant deux ou trois de plus, qui faisaient concurrence au jeune au cou de poulet – criaient les noms et les méfaits des assassins, des meurtriers et des délinquants dont les profils étaient offerts à leurs yeux rougis par une consommation immodérée de boissons de qualité douteuse. Et on s'extasiait. Et on commentait avec ravissement les faits et gestes rapportés.

— Ça, c'est Morey ! criait l'un. Et ça, c'est Bescher ! se pâmait un autre. Et le freluquet, là, c'est qui ? demanda une grosse femme aux allures de maraîchère. C'est Damien, répondit un rougeaud dont la figure et la carrure trahissait sa profession de fort des Halles. L'a fait quoi, çui-là ? pépia une fillette encore toute blanche et rose. Il a essayé de faire un nouvel œillet au costume du roi Louis XV, mais il y est pas arrivé. M'étonne guère ! conclut la maraîchère avec une grimace expressive, qui disait tout ce qu'il fallait dire sur la prouesse physique de l'aspirant régicide.

C'était non sans soulagement que je voyais

s'approcher le bout de la salle, pressé d'être libéré de l'étreinte odorante de mes voisins, mais le plus beau devait encore venir. Nous étions en effet parvenus à la section qui hébergeait les reliques devant lesquelles se pressait la foule plus que partout ailleurs, dans le pourtant vaste pavillon. Toujours aussi malheureusement incapable de diriger mes pas là où je l'aurais voulu, je fus rudement poussé, tiré, chassé jusque devant une peinture que je connaissais bien, du moins pour en avoir vu des reproductions, cas sans doute unique parmi ceux qui comme moi l'admiraient maintenant d'au-delà la légère enceinte qui la protégeait. Il s'agissait du célèbre tableau de David représentant Charlotte Corday frappant Marat, dans son bain, d'un coup de poignard justicier. Une plaque expliquait que l'œuvre avait été aimablement prêtée par le Musée des beaux-arts de la ville de Bruxelles, où les vents de l'histoire avaient fini par la faire s'échouer.

Immédiatement, les commentaires se mirent à fuser.

— Mignonne, la petite !

— Ouais, bien tournée, mais qui c'est qu'elle zigouille ?

Quelqu'un lut : Marat. Le nom sembla évoquer des échos.

— Celle-là, elle aurait mieux fait de rester tranquille devant ses fourneaux au lieu de s'occuper des affaires des hommes, opina un vieux qui devait posséder quelques notions perverses d'histoire, glanées à travers qui sait quelles lectures tendancieuses.

— Pourquoi ça ? demanda une voix confuse.

C'est-y pas encore un tyran le mec qui lit son canard dans sa baignoire ?

Plusieurs voix se levèrent pour soutenir la théorie du dernier qui s'était prononcé. C'était suspect, une baignoire. Et la lecture probablement encore plus.

— Mais non, bande de zigotos ! répliqua le vieux, dont la voix s'était faite autoritaire. Regardez voir comment qu'elle s'appelle, la feuille de chou : *L'Ami du Peuple !* Z'en connaissez beaucoup, des oppresseurs d'la populace qui lisent des feuilles avec des titres pareils ?

L'argument parut convaincant à la majorité, d'autant plus que devant le tableau, sur une table en bois laqué figurait le journal même qui était représenté dans la peinture, largement tâché de sang, l'encre quelque peu pâlie mais autrement à peine froissé. Je pus lire moi-même, posé à côté de ce témoin muet d'un ancien drame, un document d'authenticité signé du colonel Maurin, certifiant qu'il l'avait reçu directement des mains d'Albertine Marat, la sœur du démagogue.

— Mais alors pourquoi qu'elle l'a descendu, la fillette, si c'était un ami du peuple ? voulut savoir un jeune pied-bot.

— Pasqu'elle était trop tendre, et que le bonhomme était en train de faire place nette de tous les aristos, et de leurs copains, et des copains de leurs copains jusqu'à la septième génération. S'il avait tenu le coup un peu plus longtemps, on ne s'en porterait pas plus mal à l'heure qu'il est. Mais il a fallu qu'il tombe sur une bonne femme qu'avait des conceptions zhumanitaires – le vieux crachota le dernier mot d'un air dégoûté. Ça ne lui a pas réussi.

— Moi, j'en connais d'autres, qui ont des conceptions zhumanitaires de ce genre-là, mais qui choisissent mieux comment les exercer, suggéra le fort des Halles de tout à l'heure. Mais je les vois pas ici. Je me demande comment ça se fait.

— C'est vrai, ça ! s'écrièrent plusieurs visiteurs, comme si l'idée avait réveillé chez eux quelques souvenirs dormants qu'ils s'étonnaient eux-mêmes de sentir ressurgir dans leurs mémoires. Où c'est qu'ils les ont mis ? Dans une autre pièce ?

— Tu parles ! Ils les ont mis nulle part. Ça leur fout trop les jetons même d'entendre prononcer leurs noms, à ces champions du sabre et du goupillon !

Et les rires commencèrent alors à monter. Des rires gras, éraillés, qui s'excitaient les uns les autres, au milieu desquels on entendait revenir des noms qui résonnaient d'un mur à l'autre de la salle comme le glas faux de quelque grosse cloche fêlée : Ravachol, Biscuit, Vaillant, Caserio, Henry. Et entre un éclat de rire et l'autre, des voix éhontées évoquaient avec enthousiasme les actes scélérats de ces ennemis impitoyables de la civilisation : la bombe au commissariat de la rue des Bons-Enfants, l'attentat à la Chambre des députés, le meurtre cruel du Président de la République, la marmite à retournement du café Terminus... Les murs paraissaient vibrer.

Puis tout à coup une voix plus forte que toutes les autres se fit entendre. « Silence ! » hurla-t-elle sur un ton qui ne prêtait pas à discussion. À l'entrée de la pièce, illuminée par derrière de manière dramatique, la figure d'un gardien de la paix, les bras croisés et le képi sur la tête, attira les regards de tous.

— Qu'est-ce que c'est que cette confusion ? Vous vous croyez chez le marchand de vin ? Tachez de vous comporter correctement ou je vous mets tous dehors !

Il n'en fallut pas plus. Le fleuve de monde s'écoula par l'autre issue, m'entraînant heureusement avec lui. Dès que nous fûmes sortis, je n'eus rien de plus pressé que de me dégager de l'étreinte, qui allait s'amollissant, des séides de la dynamite. Je respirais de nouveau. L'intervention du représentant de l'autorité, véritable *deus ex machina*, avait réglé la question de manière ferme et définitive. Cela était tout à fait rassurant et augurait excellemment de l'avenir.

Je me suis dit que pour la journée, j'avais vu plus de l'Exposition universelle qu'il ne m'en fallait, et partis à la recherche d'un fiacre qui me permettrait de rentrer à la maison. Sur le chemin, je me mis à penser que peut-être, je pourrais après tout narrer cette aventure à mes deux fils d'une façon qui serait appropriée pour leurs jeunes cervelles. Il suffirait d'insister tout particulièrement sur l'intervention résolutive du gardien, resplendissant de son calme pouvoir dans son bel uniforme. Les histoires édifiantes sont tout particulièrement recommandées pour les petits enfants, et celle-ci, je le voyais maintenant, pourrait se terminer sur une morale on ne peut plus rassurante.

La grande grève[1]

— Il n'y a pas besoin d'espérer pour entreprendre, déclara-t-il en souriant sur le ton sentencieux et grave qui s'impose chaque fois que l'on a recours à la bonne vieille sagesse populaire. Et puis il sourit du coin des lèvres pour se faire pardonner la banalité.

Elle le regarda d'un air ébahi, comme s'il venait d'arracher la page de garde du *Capital* pour s'allumer un cigare, même pas de la Havane.

— Mais pas du tout ! s'exclama-t-elle pendant que ses yeux s'écarquillaient tellement qu'ils semblaient occuper son visage entier. Si on n'y croit pas, ça ne vaut même pas la peine de commencer ! Il faut croire qu'on y arrivera. Parce que c'est sûr qu'on y arrivera. C'est certain !

Elle hésita un instant, sembla chercher d'autres mots susceptibles de mieux expliquer le concept. Puis elle y renonça, se contentant de souligner sa

---

[1] Une première version de ce texte a été publiée dans la revue *Virages*, n° 71, printemps 2015.

25

dernière affirmation d'un hochement catégorique du chef. Il la détailla d'un air légèrement surpris, haussa les épaules, toujours en souriant, mais il n'eut pas le temps d'en dire plus. Teresa entra en coup de vent dans la pièce, suivie à quelque distance de son nouveau copain, le Chilien, avec sa démarche paisible et dégingandée et son regard ironique, voilé par les longs cheveux qui lui tombaient sur le front. Teresa lâcha une bordée verbale comme elle seule en avait le secret, parvenant à mêler en un temps en réalité très court, mais qui paraissait interminable, injonctions, affirmations, exhortations, salutations, proclamations surprises, indignées ou enthousiastes, et informations détaillées sur tout ce qui avait pu se produire depuis son dernier passage. Le copain chilien l'écoutait avec toujours cette même expression ironique, tranquille et détachée estampillée sur le visage, tout en caressant son collier de barbe, qu'il avait longue et soyeuse. Il tira un paquet de Camel de la poche déboutonnée de sa veste en jeans et en offrit à la ronde, sans que personne n'en accepte. Regardant Constance, dont les yeux n'avaient pas encore eu le temps de rapetisser à leur dimension normale, celui qui entreprenait sans espérer se prit à se demander combien de temps il faudrait avant que quelqu'un fasse remarquer au Chilien qu'il ferait mieux de ne pas fumer des américaines. Pour couvrir l'odeur douceâtre qui commença tout de suite à saturer l'air de la pièce, qui sentait déjà le renfermé, il alluma une Boyard papier maïs. La fumée âcre qui lui descendait dans les poumons lui fit du bien. Il en lâcha un long jet, qui vint dissiper le nuage paresseux de la fumée de la Camel qui se formait au-dessus de la tête vaguement christique du Chilien.

Mais ils n'avaient pas le temps de rester là. L'assemblée commencerait dans deux heures. Ils devraient rallier les troupes, s'assurer que les banderoles étaient toujours là où on les avait accrochées, que nulle main réactionnaire n'avait arraché les slogans qui devaient déchirer le voile de l'ignorance de devant les yeux de la majorité, bêlante, qui n'attendait, sans même le savoir, que d'être éclairée. Ils y allèrent donc d'une démarche décidée, marchant épaule contre épaule, roulant juste assez des mécaniques, comme dans la peinture célèbre du Tiers État. Sauf qu'ils étaient un brin plus pressés.

Les étudiants s'assemblaient déjà dans la grande salle. Ils venaient droit de leurs ateliers, les peintres avec leurs tabliers maculés de toutes les couleurs, les sculpteurs encore tout poussiéreux, les dessinateurs toujours plus propres et soignés que les autres. L'atmosphère était surchauffée, lourde comme lors d'une soirée d'orage, même s'il n'était que le début de l'après-midi. Les gens parlaient trop haut, riaient trop fort, voulaient à tout prix paraître sereins alors que tout un chacun sentait la tension grandissante qui emplissait le grand hall au fur et à mesure que les jeunes s'y entassaient. Sur l'estrade, deux tables, quatre chaises, placées face au public mais légèrement de biais pour que ceux qui s'y assiéraient puissent se regarder, attendaient les personnages principaux de la comédie. Ou du drame. C'était selon.

Constance passait d'un groupe à l'autre, saluait tout le monde, gratifiait chacun d'un regard perçant qui semblait vouloir descendre jusqu'au fin fond de leur âme, pour savoir comment ils allaient se comporter tout à l'heure, s'ils se montreraient dignes. Dignes de leurs principes. De leurs rêves. D'elle. Teresa faisait de même, mais en interpelant bruyamment tous ceux qui se paraient devant elle, gratifiant de tapes solides le dos de certains, serrant les mains, les avant-bras, ne cessant de répéter que le moment était venu. Maintenant ou jamais. Que c'était à la portée de la main. Il suffisait de le vouloir. Derrière elle, sans qu'on puisse comprendre comment il arrivait à lui emboîter le pas tout en ayant l'air de rester pratiquement immobile, le Chilien souriait, sa Camel suspendue au coin de ses lèvres roses comme celles d'un bébé.

C'était l'heure. Il y eut un silence. Tout à coup, comme un acteur professionnel, le blondinet fit son entrée, chemise de lin écru, blue-jean juste assez usé aux endroits qu'il fallait. À sa droite, l'air confiant, ses yeux noirs toujours aussi difficiles à lire, Manuel regardait de part et d'autre, sondant l'humeur de la salle. Ils montèrent sur l'estrade et hésitèrent un moment avant de s'asseoir, la main sur le dossier de la chaise. Puis ils prirent place. Le blondinet avait un regard froid, fixe, dur. Il appuya les coudes à la table, croisa les doigts. La lumière des plafonniers se reflétait sur la grosse montre au bracelet métallique qui s'échappait de dessous le pouls de la manche de sa chemise. On continua d'attendre. Les minutes passèrent lentement. Les gens avaient recommencé à parler entre eux. Le blondinet gardait ses lèvres minces serrées, son regard se déplaçant de gauche à droite au-dessus des têtes de l'assistance.

Soudain, la grande porte s'ouvrit et le doyen fit

irruption dans la pièce, suivi de son adjoint. Il marchait le ventre en avant, la veste déboutonnée, un court cigare épais entre ses grosses lèvres, qui laissaient entrevoir un sourire carnassier. L'adjoint, l'air absent et aimable, se réchauffait la main avec le fourneau d'une grosse pipe noircie par le temps et l'usage. Ils se dirigèrent droit sur l'estrade, y montèrent comme on prend une citadelle d'assaut. Mais ils ne s'assirent pas. Sans daigner regarder le blondinet et Manuel, le doyen se mit face à l'assemblée, les surplombant de toute sa masse. On aurait dit que la vieille métaphore usée avait retrouvé avec lui une nouvelle vie, et que ses yeux lançaient des étincelles. L'adjoint se tenait deux pas derrière lui, ayant l'air d'avoir découvert quelque chose de fascinant collé au plafond, ou alors d'admirer, ébahi de plaisir esthétique, la beauté de l'infini dans les cieux au-dessus de leur tête.

Le doyen parla sans prendre la peine d'ôter son bout de cigare d'où il était. D'une voix sèche et claire, il annonça qu'ils avaient le droit de faire ce qu'ils voulaient. Mais qu'une grève en ce moment serait la décision la plus idiote qu'ils puissent prendre. Qu'elle ficherait en l'air tout ce qu'il avait essayé de faire pour le plus grand bien de l'école depuis vingt ans qu'il en tenait la barre et qu'il défendait ses intérêts auprès des autorités. Autorités qui ne seraient que trop heureuses de profiter de la provocation pour sabrer allègrement dans leur budget si chèrement acquis. Et que par conséquent, s'ils votaient en faveur de la grève, il n'aurait d'autre recours que de démissionner de son poste. Et ce, sur-le-champ.

Il leur asséna tout cela d'un seul jet, balayant le

public d'un regard courroucé qui s'adressait personnellement à chacun des deux cents et quelque étudiants qui étaient venus participer à l'assemblée. Cela dit, du même pas décidé dont il était entré, il sortit de la salle, suivi immédiatement de l'adjoint, toujours souriant aux anges.

Le blondinet avait la tête de quelqu'un qui vient d'être souffleté à toute volée. Il lui fallut un instant pour se reprendre, pendant que Manuel lui tapotait l'avant-bras avec empressement, pour le solliciter à réagir. Mais il n'en eut pas le temps. Un bonhomme au premier rang se leva. Tout le monde le connaissait et il avait la réputation d'un modéré, ou plutôt d'un apolitique qui ne s'intéressait qu'à ses études. Il portait un pull en laine au col en V, sans manches, beige clair, et ses cheveux avec la raie à droite, mi-longs, dégageaient des oreilles toutes petites, presque rondes. D'une voix franche, quoique légèrement efféminée, il déclara que la question était maintenant claire, qu'on savait quels étaient les choix, les positions en présence. Inutile d'en dire plus. Quant à lui, qui s'estimait réaliste, il respectait et admirait le travail accompli jusque là par le doyen. Il demandait que l'on passe au vote.

Le blondinet tenta de dire quelque chose, mais on l'entendait mal dans le bruissement des conversations qui avaient repris. Il se redressa sur son siège, les mains maintenant à plat sur la table comme s'il voulait s'appuyer dessus pour se lever. Mais même s'il avait pu y parvenir, il n'en eut pas le temps. Plusieurs voix exigèrent un vote immédiat. On procéda par levée de mains. La grève fut refusée à une majorité écrasante. Tout de suite, les étudiants commencèrent à s'écouler de la salle. Manuel regardait le blondinet, qui avait l'air de ne pas avoir bien compris ce qui venait de se passer. Teresa se mit à gémir. Elle s'assit par terre, glissa sous la table à laquelle restait obstinément cloué le blondinet. Elle égrena une série de jurons étouffés, blâmant les traîtres, les dégonflés. Constance paraissait perdue. Elle monta sur l'estrade. La voyant à côté de lui, le blondinet se leva enfin. Ils sortirent tous, le Chilien, qui avait allumé une nouvelle Camel, fermant la marche.

Celui qui n'avait pas besoin d'espérer pour entreprendre, comme enveloppé de l'aura du courroux méprisant exhalant de Teresa, qu'on avait tirée de force de dessous sa table, ne les suivit pas. L'école s'était vidée avec une rapidité qui tenait de la magie. Les couloirs paraissaient privés de vie, comme les passages de quelque pyramide inhabitée depuis des millénaires. Les portes béantes des ateliers de peinture montraient un spectacle d'abandon et même l'odeur âcre de la térébenthine, des huiles et des fixatifs paraissait devenue fade comme un vieux souvenir. Les chevalets évoquaient par leur placement fortuit l'image d'une forêt pétrifiée. Il regarda tout cela, puis haussa les épaules et s'en fut.

En fin d'après-midi, traversant le centre-ville, il les revit tous les cinq, entassés dans une deux-chevaux, les coudes dépassant des fenêtres ouvertes dans la moiteur de l'automne qui commençait. Le blondinet tenait le volant d'une main redevenue ferme et ils avançaient patiemment au milieu de la circulation engorgeant les routes, tout droit vers d'autres lendemains qui chantent. Leurs têtes se tournèrent à l'unisson de son côté. Ils le zyeutèrent de travers, sans le saluer. Et lui, il continua vers son avenir à pied.

L'AGENT PROVOCATEUR

— Moi, je vais tout faire péter !

— Mais non, andouille, tu as *envie* de tout faire péter. Nuance.

— Tu parles ! Je te dis que je vais tout faire péter. Boum ! D'un coup ! Propre et bien fait !

— Et tu t'y prendras comment, espèce d'abruti, pour *tout* faire péter ? Avec une bombe atomique ? T'en as piqué une aux ricains ?

— Y a d'autres moyens... Faut pas grand-chose. Pendant la dernière guerre, les Russes te faisaient sauter les chars boches avec juste un cocktail molotov !

— Ce n'est pas moi qui t'en confierais. Tu serais fichu de te le boire, le cocktail, pour voir quel goût ça a, demeuré comme t'es.

— Tu peux dire ce que tu veux ! Quand je ferai tout péter, tu verras. Et puis, tu n'as pas le droit de me parler comme ça. Tu te prends pour qui ?

— Pour quelqu'un qui n'est pas idiot.

Et ça continua de la sorte encore pendant un bon moment, comme ça arrivait presque chaque fois. Le petit Jean s'agitait, et ses bras maigres dessinaient des histoires terribles dans l'air au-dessus de sa tête aux cheveux qui commençaient déjà à être clairsemés en dépit de son âge. Pascal, lui, restait assis, et même assis, il le dominait de sa masse calme, les jambes écartées, les bottes avec la boucle en métal plantées sur le plancher à moitié pourri de la pièce où nous nous retrouvions presque chaque jour. Il fumait sa Gauloise bleue sans filtre jusqu'à ce qu'il n'en reste plus qu'un bout infime de papier et de braises, qu'il approchait à peine de ses grosses lèvres pour en tirer une dernière bouffée avant de la jeter par terre sans prendre la peine de l'éteindre. Rien que cela, le petit Jean ne pouvait pas le supporter. Il trépignait, se levait, allait écraser les mégots en levant le genou jusqu'à la taille et en abattant le pied comme s'il était la vierge Marie en train d'écraser la tête du serpent. Alors Pascal rigolait tout bas sans même desserrer les lèvres et il lui demandait sur un ton sarcastique s'il était devenu sapeur-pompier, et que de toute façon la baraque ne flamberait pas pour si peu, humide comme elle était, et qu'il faudrait bien autre chose pour allumer le feu purificateur qui réduirait en cendres cette garce de société. Et en disant ça, il le regardait d'en dessous, les paupières toujours à demi baissées comme si l'effort d'ouvrir les yeux lui coûtait trop. Mais il s'en échappait une petite lumière qui aurait eu le don de faire crisper n'importe qui, et le petit Jean était le dernier à faire exception.

Il se trouvait alors toujours quelqu'un pour leur dire de la boucler, et on essayait de ramener la conversation sur les rails qu'elle n'aurait pas dû quitter si on voulait arriver à réaliser quelque chose. Il faut bien dire, d'ailleurs, que des choses, on en avait effectivement réalisées quelques-unes. On avait sorti les deux premiers numéros du journal, tiré en format A4 parce que ça revenait moins cher, mais tout de même produit à quelques centaines d'exemplaires grâce à un camarade qui était apprenti typographe et s'était débrouillé pour qu'on puisse avoir un prix. La question de la distribution était plus délicate, parce que pour le faire accepter dans les kiosques ce n'était pas encore gagné. Mais les numéros existaient et chacun d'entre nous faisait de son mieux pour en écouler autant qu'il pouvait, d'autant plus que c'était notre fric à nous qui avait financé l'entreprise. On avait fait des affiches aussi, en bichromie, et deux nuits de travail avaient suffi pour tapisser les murs des quartiers où elles pouvaient servir à quelque chose. Grâce à un copain qui avait appris des trucs extras en Italie, on avait mélangé à la colle de poisson du verre pilé provenant de vieilles ampoules cramées. Ça te transformait une affiche en papier de verre sans même que ça se voie et le connard qui essaierait de l'arracher ne s'y reprendrait pas deux fois.

Le plus important, toutefois, cela avait été autre chose. Même les journaux, les vrais, en avaient parlé. Le jeunot qui était venu nous voir n'espérait plus grand-chose. Il avait déjà frappé à d'autres portes, chez les socialos, au parti du travail, et personne n'avait voulu l'écouter. Il s'était présenté chez nous, au squat, en désespoir de cause, se demandant visiblement dans quel antre de cinglés il était tombé, à voir le mobilier d'occasion ramassé dans les poubelles,

les canettes vides qui traînaient sur le plancher et le relent d'herbe qui ne se dissipait jamais, même si on laissait la fenêtre ouverte une heure.

À la longue, il lui avait bien fallu changer d'avis. On a commencé en distribuant des pamphlets devant l'usine, une fois qu'on a eu toute l'histoire, qu'il nous a raconté tous les détails. Ce n'est pas que les ouvriers de l'usine n'aient pas été au courant de ce qui s'était produit. Quand la bonbonne avait explosé, ça avait dû faire trembler les murs, et puis il y avait eu les cris du pauvre mec qui avait été brûlé, et l'ambulance et tout le tintouin. Mais évidemment le patron avait présenté ça comme un accident du travail dû à des causes imprévisibles, ou alors carrément – on sentait qu'il n'aurait pas fallu beaucoup le pousser pour qu'il le suggère – à l'incompétence du gamin qui avait failli y laisser la peau. Il ne s'était pas empressé de spécifier qu'on lui avait fourni des outils vieux et mal adaptés, qu'il n'avait reçu que des instructions sommaires et aucune formation véritable, qu'un travail aussi dangereux ne se donne pas à un petit jeune qui n'est pas là depuis une semaine, que les locaux ne s'y prêtaient pas, qu'il pouvait allumer une bougie à l'église tous les jours jusqu'à celui du jugement dernier pour remercier le bon Dieu qu'il n'y ait pas eu une réaction en chaîne. Autrement l'ensemble du cabanon y serait passé, et tous ceux qui étaient dedans avec.

Le plus important était que les ouvriers sachent que d'autres qu'eux étaient également au courant, que ça n'en resterait pas là. Aussi, qu'il faudrait s'assurer que ça n'arrive plus jamais et que ceux qui étaient responsables paient.

Nous avons donc commencé par là. Puis, nous sommes passés aux autres usines des environs. Tout le monde en parlait. C'est grâce à nous qu'on n'a pas pu étouffer l'affaire, que petit à petit les syndicats s'en sont mêlés, qu'une enquête a eu lieu.

Évidemment, ils ont bien fait gaffe de ne pas mentionner notre rôle, une fois que tout le linge sale a été déballé sur la place publique. Mais on ne s'attendait pas à autre chose. L'essentiel était que les ouvriers des usines aient bien compris qui était de leur côté. Il finirait par s'en trouver un qui commencerait à venir aux réunions, et puis qui en parlerait à ses amis. Pas qu'on s'attende à un effet boule de neige, mais il fallait bien commencer quelque part.

L'embêtant était que maintenant que nous étions si bien partis, personne ne voulait en rester là. Seulement, ce n'est pas tous les jours que tu as un bonhomme qui débarque d'on ne sait où et te sert une histoire comme celle-là toute rôtie. On ne pouvait pas espérer qu'il commence à en sortir de terre à chaque pas. Évidemment, on aurait souhaité qu'à force de traîner autour des usines à distribuer notre propagande, il se soit trouvé d'autres exploités pour venir nous ouvrir leur cœur et révéler encore quelque beau petit secret bien juteux qui serait venu mettre une fleur de plus à notre boutonnière. Mais rien. Silence total. D'où la nécessité de trouver autre chose, et les séances de remue-méninges qui n'apportaient pas toujours les fruits espérés.

— *Tout* faire péter, c'est vite dit. On ne fait pas tout péter d'un coup. Faut encore savoir par où commencer.

Le petit Jean tordait le nez comme s'il venait de passer près d'un égout et haussait les épaules d'un air excédé. Pascal prenait plaisir à l'aiguillonner et lui, il tombait chaque fois dans le panneau. Il en balbutiait d'énervement.

— Par quoi commencer! Comme s'il n'y avait pas l'embarras du choix! T'as des préférences? Une liste des priorités? Faudrait penser à la partager, au lieu de seulement causer et critiquer les projets des autres. Ce n'est pas en se déboîtant la mâchoire à discuter de détails qu'on arrivera jamais quelque part!

— De détails? Comme tu voudras. Moi, je serais d'avis qu'ils sont plutôt fondamentaux, les détails. Et puis, pour ce qui est de causer, ce n'est pas moi qui aurai la médaille d'or. Dans le domaine, tu t'en tires comme un maître. Tu appelles ça des *projets*, ce que tu as? C'est du vent, voilà ce que c'est...

À partir de là, d'habitude, il y avait d'autres mecs qui intervenaient. Un peu c'était pour éviter qu'ils finissent par s'empoigner, un peu parce qu'on en avait marre de les entendre. Mais le ton de la discussion avait été donné, alors forcément on recommençait toujours à ressasser les mêmes antiennes. Il y avait ceux qui se disaient partiellement d'accord, que même si on ne pouvait pas sérieusement s'imaginer qu'un coup d'éclat changerait quoi que ce soit à la situation, ce serait malgré tout un geste, un message, un rappel utile et nécessaire. Une promesse en quelque sorte, pour que les gens sachent que tout le monde n'avait pas jeté l'éponge et que, le moment venu, quand les circonstances seraient meilleures, il y aurait des gars qui n'avaient pas froid aux yeux prêts à faire ce qu'il fallait. D'autres, et Pascal, avec sa grimace moqueuse n'hésitait jamais à se joindre à eux, soulignaient que non seulement ça ne servirait à rien, mais que ça ferait le jeu du pouvoir, trop heureux d'utiliser le moindre prétexte pour nous tomber dessus, nous et les autres groupements de gauche quels qu'ils soient, même ceux formés intégralement d'imbéciles autoritaires – il n'en manquait pas – et nous foutre en taule en bloc pour rassurer les bons bourgeois et leur montrer que le budget de la police n'augmentait pas tous les ans pour des prunes. Puis rapidement la discussion dérivait vers des questions éthiques et les pacifistes intransigeants se heurtaient aux partisans de la violence rédemptrice, qui ne formulaient pas toujours leurs aspirations avec la chaleur et le respect relatif pour la grammaire du petit Jean, mais qui n'en estimaient pas moins qu'une liste exhaustive des politiciens et autres capitalistes qui méritaient de sauter en l'air prendrait assez de temps à compiler pour qu'on se retrouve tous avec de longues barbes blanches avant d'en être arrivés au bout.

Forcément, entre les deux, il se trouvait encore quelques philosophes amateurs pour ramener leur fraise et disserter sur la valeur relative de la violence et de la non-violence, ainsi que sur l'importance de savoir changer de point de vue selon les moments en fonction des buts que l'on croyait le plus à sa portée. Comme quoi, disaient-il – en donnant l'impression d'avoir enfin trouvé le moyen de ménager équitablement la chèvre et le chou –, il ne fallait pas être trop rigide, que comme dans tous les autres domaines, il n'y avait pas d'absolu dans celui-ci non plus, et en fait dans celui-ci peut-être encore moins que dans la plupart, et que seule l'utilité et l'opportunité du moment devaient dicter des choix qui, pour être variables, n'en étaient pas moins nécessairement mutuellement exclusifs...

On aura compris. Pas mal de bla-bla.

Nos soirées se déroulant volontiers d'après un schéma de ce type, arrivés à ce point-là, la moitié des gars avaient déjà fichu le camp, ceux qui étaient en couple étant partis les premiers. Les survivants, dont une bonne partie aurait été de toute façon incapable de se traîner jusqu'à la porte après avoir passé des heures à échanger des joints, continuaient leurs déconnades jusqu'à ce que le décousu de plus en plus évident des raisonnements indique clairement que le temps était venu d'aller se pieuter. Alors ceux qui pouvaient rentrer, et qui avaient un endroit où rentrer, rentraient. Les autres, car il en restait toujours quelques-uns, se calaient dans un coin et bientôt le sommeil avait remplacé les rêves éveillés par d'autres.

Pour tout dire, ça prenait du temps. Du temps pour s'accorder, pour prendre en considération les diverses opinions, pour parvenir à une entente sur certaines actions. Ça exigeait un bon moment, ça ne se faisait pas tout seul, mais tout de même, on y parvenait, pour les choses vraiment importantes. Des gens qui n'avaient pas l'habitude de cette façon de procéder auraient pu croire qu'on était en train de gaspiller notre énergie, mais ce n'était pas vrai. C'était notre façon à nous de respecter l'avis des autres, de leur donner l'attention à laquelle ils avaient droit et qu'ils n'obtiendraient pas ailleurs. Même quand des fois ils avaient les idées un peu fumeuses, comme le petit Jean quand il s'énervait, ce qui lui arrivait en moyenne dix fois par jour. Mais s'il n'y avait qu'une chose sur laquelle on était tous tout le temps d'accord, c'était qu'il fallait écouter tout le monde. Parce que si chez nous on empêchait les gens de l'ouvrir, alors autant remballer nos cliques et nos claques et retourner chacun chez soi.

Tout cela ne voulait pas dire qu'on s'épargnait, qu'on faisait un effort particulier pour se caresser dans le sens du poil. Bien au contraire. Les objections étaient toujours exprimées avec franchise. Parfois, selon le caractère des gens, et il faut bien le dire, leur éducation aussi, même brutalement. C'était le cas de Pascal, avec sa carrure de lutteur et son air d'ancien Hell's Angel rangé des motos. Il n'était pas le seul, les engueulades fusaient librement, mais toujours dans l'idée que c'était pour dégager le tapis des projets qui ne tenaient pas la route, pas simplement pour le plaisir de descendre quelqu'un devant les autres ou pour montrer qu'on était le plus malin.

Évidemment, certains supportaient ça mieux que d'autres. Il y avait pas mal de va et vient. Des gens apparaissaient, presque toujours présentés par quelqu'un qui fréquentait déjà le groupe, se montraient pendant quelques semaines ou quelques mois, participaient plus ou moins, et puis disparaissaient sans prévenir et on ne savait même plus ce qu'ils étaient devenus. Certains venaient une fois, se farcissaient une soirée de débats et se gardaient bien de remettre les pieds dans les lieux. Mais pour bon nombre d'entre nous, c'était la famille. La maison.

On était tous conscients des risques. On devait accepter n'importe qui, venant de n'importe où, parce qu'on ne pouvait jamais savoir. Et puis le but était de convaincre le monde de la justesse de nos idées. Ce qui ne voulait pas dire qu'on faisait du racolage ou qu'il nous serait venu à l'idée de concurrencer les curés dans la course aux conversions. Même plutôt le contraire, en fait. On ne pouvait s'empêcher de se montrer un brin soupçonneux quand des enthousiastes surgissaient du néant, surtout s'ils étaient porteurs de plans grandioses, s'ils se montraient impatients et qu'ils essayaient de nous pousser dans des actions qui auraient pu présenter des dangers. Les vrais croyants, dans certaines circonstances, cela peut représenter un avantage si on arrive à canaliser leurs énergies. Mais le danger était de se retrouver avec de faux vrais croyants qui essaieraient de canaliser les nôtres. Et c'était là qu'il convenait du coup de se montrer discrètement sceptique. Bien peser le pour et le contre et, surtout, se rendre compte de quel était le genre de la personne qu'on avait devant soi.

C'est sans doute à cause de cela que plusieurs d'entre nous ne furent pas terriblement surpris quand le bruit commença à se répandre qu'il y avait quelque chose qui clochait avec un bonhomme qui fréquentait nos rencontres depuis deux ou trois mois. Il ne s'était pas trop fait remarquer au début, se limitant à écouter, à contribuer de temps à autre quelques pensées relativement judicieuses mais guère mémorables. On aurait dit un type qui se cherchait, qui avait fait quelques lectures sans être à proprement parler un intello, qui avait réfléchi mais qui se posait encore beaucoup de questions. En soi, toutes de bonnes choses. Il y avait toutefois chez lui un petit air qui pouvait déranger. Une réticence. Une espèce d'incapacité de se laisser aller, comme s'il était toujours sur ses gardes. De quoi vous mettre parfois un peu mal à l'aise.

Alors forcément, le jour où l'histoire commença à circuler qu'on l'avait aperçu en ville en mauvaise compagnie, il se trouva pas mal de gens assez disposés à ouvrir l'oreille. Moi, je l'appris à travers un petit mec qui ne serait jamais de sa vie candidat au prix Nobel, mais qui était l'honnêteté même. Werner était facteur, petit, nerveux, rigolard, toujours totalement pété après cinq heures trente de l'après-midi, mais autrement fiable et digne de confiance, tant qu'on ne devait pas lui prêter du fric. Il s'était approché de moi d'un air mystérieux, avec toute la discrétion d'un éléphant dans une cristallerie, pour me souffler à l'oreille qu'on avait vu ce type, qui s'appelait ou qui disait s'appeler Gilles, en compagnie d'un flic.

Je le pris de côté, lui proposai de sortir en fumer une à l'air frais, qu'on commençait à ne plus pouvoir respirer dans la pièce, mais c'était surtout pour entendre ce qu'il pouvait avoir à me raconter sans que tout le monde soit immédiatement au courant, le Gilles lui-même y compris, qui était enfoui dans un sofa à moitié défoncé et suivait d'un air très intéressé une conversation entre trois camarades sur l'actualité de la pensée de Bakounine.

Werner avait de la peine à se retenir tellement il était surexcité.

— Sérieux ! Je te dis qu'on l'a vu qui discutait avec

Jean-Marc. Tu te souviens de Jean-Marc. Ils étaient en train de jouer une partie de billard et ils parlaient à voix basse comme s'ils étaient les meilleurs copains du monde !

Je me souvenais de Jean-Marc. C'était un type qui était venu nous voir parce qu'il avait, disait-il, l'intention d'être objecteur de conscience pour éviter le service militaire. Il voulait savoir comment on faisait. En fait, c'était passablement évident qu'il avait une trouille extraordinaire. La trouille du service militaire et la trouille d'avoir à devenir objecteur pour y échapper. Pour finir, après qu'on eut passé ce qui nous parut des lustres à lui donner des conseils divers et variés sur les meilleurs moyens disponibles pour éviter les servitudes de l'uniforme, il eut trop la trouille et se résigna. Mais le plus marrant fut qu'il finit par y prendre goût, et qu'à la fin du service il n'eut rien de mieux à faire que d'essayer de se faire accepter chez les flics. Il avait fait caporal. C'était une référence. En plus, il était suffisamment baraqué et n'était visiblement pas encombré d'un poids excessif sous la calotte crânienne. Le candidat idéal. Je l'avais croisé deux ou trois fois depuis. La première fois, il avait tenu à me dévisager d'un œil sévère en m'annonçant sur un ton tragique et belliqueux qu'il « était passé de l'autre côté » ! Il avait l'air de s'attendre à ce que je lève les bras en l'air en lançant des cris de désespoir. L'ayant déçu, les autres fois il se limita à tenter de me carboniser de la prunelle. Il n'était pas doué pour ça non plus.

— Et puis alors ? Jean-Marc, si on l'a mis à la circulation c'est déjà beaucoup. Si je devais commencer à me méfier de tous ceux qui ont joué une partie de billard avec des cons, je ne pourrais pas me regarder dans un miroir sans avoir des inquiétudes.

Werner mit un instant pour saisir le concept. Puis il parut malgré tout un peu déçu.

— Moi, je te dis ce qu'il en est. Après chacun tire ses conclusions. Mais il me semble qu'on devrait tout de même ouvrir l'œil.

Il n'était pas le seul de cet avis. En fait, sans qu'on sache vraiment d'où elle venait, la voix s'était répandue et les gens commençaient à regarder Gilles de travers. Ou alors carrément à l'éviter, sans toutefois que cela soit encore assez patent pour lui donner plus que des soupçons vagues, s'il était vraiment ce qu'on disait de lui.

C'est alors que Pascal s'est en quelque sorte proposé pour trancher la question.

— Si c'est un indic on a intérêt à le savoir, après tout. S'il ne l'est pas, c'est injuste de l'accuser et on va lui devoir des excuses. Mais pour être sûrs, il va falloir vérifier. Je vais me charger de l'affaire. Je me colle à ses basques et s'il y a quelque chose qui ne va pas, je finirai bien par m'en apercevoir !

Le rictus qu'il avait eu en prononçant la dernière phrase était du genre à enlever tout souci à ceux qui ne l'auraient pas cru à la hauteur de la tache. Je dois avouer qu'il m'arriva de me demander comment il entendait filer le train à Gilles dans la discrétion qui s'imposait, lui qui ressemblait par sa carrure à un camion avec remorque. Mais il ne faut pas décourager les bonnes volontés.

La décision parut justifiée. En l'espace de deux semaines, Pascal nous revint avec des informations qui semblaient indiquer clairement que le Gilles en question bouffait à un drôle de râtelier. Et ce n'était pas que du ouï-dire. Il y avait même des photos. Il avait l'air fier, Pascal, en nous les sortant. Il présenta des clichés de Gilles sur les marches du Palais de justice, arborant une expression éminemment suspecte, et d'autres qui le montraient pas loin de la porte principale de la station de police la plus proche de notre quartier, ayant l'air de vouloir s'en éloigner avec une hâte clairement louche. Rien que ça, ça n'aurait peut-être pas suffi, mais les derniers doutes s'évanouirent lorsque Pascal laissa tomber qu'en fait, il l'avait vu lui-même sortir de chez les poulets après l'avoir suivi subrepticement à la fin d'une de nos réunions. Les preuves étaient donc accablantes.

Ce n'était toutefois pas notre genre de faire un procès à l'indic, ou de lui annoncer ouvertement qu'il avait été démasqué. Sans même se concerter, plusieurs des « vieux » commencèrent, chaque fois que Gilles pointait son nez, à tenir des discours fracassants sur la nécessité de placer quelques tonnes de TNT dans les sous-sols d'un certain nombre de bâtiments publics, parmi lesquels évidemment la mairie, le Palais de justice, une ou deux casernes, la centrale de la police et une demi-douzaine d'autres destinations touristiques du même acabit. La chose serait aisée à faire, se trouvait-il toujours quelqu'un pour expliquer, en profitant du réseau souterrain des égouts, dont nous avions établi, précisaient-ils, des plans complets et détaillés. Quant aux matières explosives qu'il aurait fallu, cela faisait belle lurette que nous en avions entreposé des réserves impressionnantes en lieu sûr, en attendant que les temps fussent mûrs. Ce qu'ils étaient enfin maintenant, comme cela devait paraître évident à toute personne qui suivait l'actualité politique nationale, sans parler de l'internationale ni de la mondiale.

Le plus dur pour la plupart était de s'empêcher de pouffer de rire. Mais il faut admettre que tout le monde fit non seulement de son mieux, mais parvint à se retenir avec un *self-control* admirable. De mon côté, je ne sais trop pourquoi, à moins que mon subconscient ne m'ait envoyé quelque message que j'aie été sur le moment dans l'impossibilité d'interpréter, je m'abstins dans l'essentiel de contribuer à la mascarade. Mais peu importait. Gilles eut l'air d'abord assez ahuri, puis son regard se mit à se voiler chaque fois que quelqu'un abordait le sujet de la destruction prochaine de la société pourrie à travers une apothéose dynamitarde. Enfin, il finit par ne plus montrer le bout de son nez. Ce qu'on en conclut fut qu'il était somme toute parvenu, avec le temps, à se rendre compte qu'on se foutait de sa gueule et qu'il en avait tiré la seule conclusion possible : que son alias avait été percé et que par conséquent toute fréquentation ultérieure de nos milieux s'avérerait une pure perte de temps.

Ce résultat représenta un succès important pour Pascal, dont la stature symbolique au sein du groupe en fut augmentée. Même le petit Jean dut admettre qu'il avait fait du bon boulot et que grâce à lui nous étions débarrassés d'un danger potentiel qui aurait pu nous causer de sérieux emmerdements. Parce que même s'il n'y avait rien dans nos activités qui puisse justifier des poursuites judiciaires quelconques, sauf l'utilisation copieuse par certains de marie-jeanne cultivée en pot, on pouvait toujours compter sur les flics pour s'inventer quelque chose.

De fait, le petit Jean avait été parmi les plus actifs dans la création humoristique d'attentats apocalyptiques, qu'il se délectait à imaginer dans leurs détails les plus improbables et à décrire dans leurs conséquences les plus catastrophiques. Cette habileté naturelle à fantasmer à roue libre lui avait valu le respect de Pascal lui-même, qui devait y voir une qualité insoupçonnée chez un personnage auquel il n'avait attribué jusque là que des défauts flagrants. Les deux se rapprochèrent ainsi de plus en plus l'un de l'autre et finirent par devenir comme cul et chemise. Le petit Jean continuait, bien parti sur la lancée comme il l'était, à dépeindre des scènes de destruction radicale qui parfois amusaient, parfois devenaient plutôt lassantes. Pascal l'écoutait avec délices, l'incitait même à en rajouter, rigolait à ses meilleures trouvailles en montrant des dents carnassières. Il le couvait presque avec une sorte d'affection. Quant aux autres camarades, personne ne lui prêtait tout particulièrement attention, en tout cas pas plus qu'avant. Surtout que de nouveaux projets commençaient à se dessiner qui présentaient un intérêt bien moins hypothétique. La patience avait fini par donner fruit et on planchait sur une histoire qui ferait l'effet d'un joli pavé dans la mare si on pouvait mettre la main sur toutes les preuves nécessaires. Il s'agissait d'un nouveau cas de conditions déplorables et dangereuses de travail, cette fois-ci dans une usine de produits chimiques.

Mais c'était délicat et même nos contacts hésitaient à se déboutonner, de peur de se faire virer et de perdre leur gagne-pain si on découvrait que c'étaient eux qui avaient dévoilé le pot aux roses. Il fallait y aller mollo, c'était comme marcher sur des œufs. Alors, le petit Jean et ses évocations hilares de purifications globales par le fer et par le feu, il n'était pas tout en haut de la liste des préoccupations les plus urgentes. Surtout pas des miennes, qui étais celui qui s'était engagé le plus dans le nouveau projet. J'y tenais et je voulais que ça marche.

C'est à cause d'une rencontre avec notre taupe dans la boîte, avec qui j'avais établi rendez-vous dans un bistrot à l'autre bout de la ville, que je suis arrivé tard au squat ce soir-là. Je n'ai pas fait exprès. Et je ne sais pas comment cela s'est trouvé qu'on ne m'ait pas inquiété par la suite. Mais la vérité était qu'ils n'en avaient pas du tout besoin.

J'ai entendu les sirènes et j'ai compris qu'il se passait quelque chose. Je me suis approché en catimini. Du fond de la rue on comprenait déjà clairement le topo. C'était une descente en bonne et due forme. Il y avait des voitures partout, des paniers à salade, une confusion totale. Les portes et les fenêtres blindées artisanalement avec des plaques de tôle n'avaient servi à rien. Surtout qu'elles étaient probablement toutes grandes ouvertes, comme d'habitude pendant l'été à cause de la chaleur. J'ai regardé la scène un moment, mais il n'y avait rien à voir qu'on ne puisse facilement imaginer. Il n'y a pas vingt-six manières de s'y prendre quand on veut investir un bâtiment. Ils l'avaient fait en masse, à une heure à laquelle on ne les attendait pas, et sortaient les occupants à la queue leu leu, en file comme de gentils petits canards. Je suis rentré chez moi. Il n'y avait rien d'autre à faire.

C'est en lisant les journaux du lendemain que j'ai vraiment compris ce qui s'était passé. Ils parlaient de l'évacuation du squat, présentée comme une nouvelle positive pour le développement d'un quartier qu'on avait eu le tort de laisser tomber en ruine en l'abandonnant à de dangereux marginaux. Mieux valait tard que jamais et on pouvait s'attendre maintenant à ce que des permis de construction soient rapidement issus pour réaliser les plans que la ville avait depuis longtemps en réserve pour ces lieux.

Mais ça, c'était réservé aux pages internes. La grosse nouvelle, digne de la manchette, était le démantèlement d'un groupe extrémiste qui planifiait on ne savait quelles atrocités. Il y avait une photo du petit Jean, menotté, qui s'était débrouillé, dans la lumière vague du soir, pour avoir l'air très digne, très fier, très méprisant. On louait le travail d'investigation des forces de l'ordre, qui avaient su infiltrer ce mouvement et déjouer ses plans, sur lesquels on ne s'étendait pas mais qu'on suggérait vastes et sur le point d'être réalisés. L'enquête qui suivrait en révélerait les tenants et les aboutissants. On offrait comme preuve concrète du danger présenté par ces terroristes en puissance qu'on avait trouvé des détonateurs sur la personne d'un des chefs du groupe, un nommé Jean Desroches, qu'on savait avoir été en train de concevoir des séries d'attentats. Il n'y a pas de fumée sans feu.

Les noms de certains des camarades arrêtés suivaient. Celui de Pascal n'y figurait pas. En l'espace de trois jours, ils étaient déjà tous sortis, sauf le petit Jean. Il se conduisit honorablement, refusa de balancer qui que ce soit et fut condamné à trois mois de prison. Je ne pense pas qu'il ait jamais rien compris à ce qui lui était arrivé.

Les ouvriers ne voulurent plus rien avoir à faire avec nous. Le troisième numéro du journal ne sortit jamais. Le quartier fut bientôt à moitié rasé et les premiers magasins de fringues ou d'objets d'art commencèrent à remplacer les cafés et les petites épiceries. Pascal, personne ne l'a revu. Il pouvait être fier de son boulot.

De vagues humanités

Quelques heures auparavant, les rues de la grande ville n'appartenaient pas aux hommes.

Elles appartenaient aux chevaux.

Il y avait des chevaux partout, massifs, puissants, majestueux dans leur allure qui leur prêtait cet air dominateur et digne même en dépit des claquements des coups de fouet qui déchiraient l'air du matin. Les chevaux avançaient pas à pas, oublieux, et le rythme régulier de leurs sabots qui heurtaient les pavés de la chaussée, rue après rue, faisait croire, si grand était leur nombre et pour autant qu'on ferme les yeux, à une tempête de grêle. Ou alors à une fusillade irrégulière, comme si des colonnes d'insurgés circulaient encore dans les rues de la capitale ainsi que c'était arrivé près de trente ans auparavant. Mais ce n'étaient que des chevaux qui suivaient leur chemin habituel, traînant de lourds chariots chargés de marchandises de toutes sortes. Leur regard borné par les œillères balayait toujours seulement la ligne droite devant leurs narines frémissantes, comme s'il n'en existait pas d'autre. Et pour eux, il était vrai, il ne pouvait y en avoir d'autre.

Puis, petit à petit, l'écho de leur travail s'était estompé et les hommes avaient repris la maîtrise des rues. C'étaient leurs voix qui résonnaient maintenant d'une fenêtre à l'autre, d'une porte cochère à l'autre. Des voix aux tonalités différentes, allègres, pressées, furieuses, cajoleuses, claires, éraillées, des voix de tous les âges qui ensemble n'en faisaient qu'une, la multiforme voix du peuple qui s'affairait dans le labyrinthe de sa ville, une voix qui ressemblait au tonnerre et dont le sens restait toujours un brin au-delà de l'entendement, comme la voix d'un géant que l'on percevrait de juste assez trop loin pour pouvoir en saisir avec précision les mots.

Midi approchait et deux hommes marchaient l'un à côté de l'autre, leurs épaules se touchant presque. Celui sur la gauche, qui était parfois obligé de descendre du trottoir pour rester au niveau de son compagnon quand ils croisaient d'autres groupes de promeneurs, devait avoir quelque part entre trente-cinq et trente-neuf ans. Il était rasé, si ce n'était pour une moustache soyeuse et touffue aux pointes légèrement relevées, sans pour autant qu'il y ait besoin de cire pour cela, et d'un bouc qui dessinait trois traits parallèles sur son menton volontaire, dont deux retrouvaient les coins ironiques d'une bouche charnue et mobile. Des cheveux bruns légèrement bouclés, ramenés derrière les oreilles, descendaient presque caresser la lavallière qu'il portait élégamment nouée autour du cou. Il tenait les mains croisées derrière son dos comme s'il s'efforçait d'en dominer la volubilité, et son regard parcourait les murs des maisons et les devantures des magasins. Son compagnon était de la même taille, guère au-dessus de la moyenne, habillé de manière quelque peu plus sobre. Seule une chemise blanche boutonnée jusqu'au cou ressortait sur une mise rigoureusement sombre. Il portait une veste aux revers fins, qui pouvait paraître légèrement démodée, elle aussi proprement boutonnée autour d'une taille qu'on devinait élastique. Sa moustache à lui, noire au point d'en avoir des reflets roux sous une certaine lumière, et plus fièrement retroussée, était complétée par une barbiche en pointe qui finissait ainsi d'encadrer une bouche fine aux lèvres sanguines qui laissait parfois entrevoir de petites dents très blanches et un peu pointues. Il portait un chapeau, noir comme son costume, à peine penché sur son œil gauche. Son âge était plus difficile à déterminer, mais en les voyant l'un près de l'autre, avançant d'une allure égale, si semblables dans leur démarche malgré les quelques traits vestimentaires qui les distinguaient, on n'aurait pu lui supposer un âge bien plus avancé que celui de son compagnon, et un petit air de famille les réunissait, qui faisait qu'un observateur occasionnel aurait facilement pu les croire deux frères.

Le premier des deux, toujours sans desserrer les mains, indiqua du menton la porte d'un restaurant au coin d'une rue une vingtaine de mètres plus loin. L'autre hocha la tête en signe d'approbation et bientôt ils furent à l'intérieur, assis à une table de bois massif que recouvrait une nappe de lin impeccablement blanche. Le local, aux murs ornés de vastes miroirs séparés par des tableaux richement encadrés de scènes campagnardes, respirait l'aisance. La moitié des tables était déjà occupée par des clients visiblement nantis, qui déjeunaient en échangeant de menus propos dans une atmosphère ouatée, où le bruit des conversations s'estompait. L'homme à la lavallière était encadré par la lumière qui pénétrait par une fenêtre sur la devanture de laquelle, vers l'extérieur, une rangée de géraniums faisait une longue traînée rouge carmin.

Une fois qu'ils eurent commandé et que le serveur, un petit bonhomme chauve parfaitement impassible, fut venu poser devant eux deux verres et une bouteille cachetée, qu'il déboucha d'un geste fluide, l'homme à la veste démodée leva son verre, sourit, et prononça d'une voix étonnamment profonde :

— À la littérature !

— Qui est la seule chose qui compte, répondit son associé en cliquant son verre pour ensuite en boire d'une seule gorgée près de la moitié du contenu.

L'autre resta un instant le verre en l'air, ses doigts fins et pâles enroulés autour de la tige. Il l'approcha ensuite de ses lèvres d'un geste lent, comme si une pensée imprévue l'avait soudainement saisi, mais avant qu'elles puissent en toucher le bord il le reposa doucement sur la table, se penchant du même mouvement vers son interlocuteur. Ses pupilles couleur anthracite brillaient sous des paupières à demi baissées.

— Justement, dit-il. J'aurais bien aimé revenir avec vous sur ce point. Se pourrait-il que vous ayez été mal compris ? Ou alors, suggéra-t-il en esquissant un sourire presque d'excuses, peut-être votre légendaire

précision avec les mots aurait été, comment dire...
partiellement victime de l'excitation du moment ?

— Pas du tout! répliqua son partenaire du tac au
tac, en soulignant l'affirmation d'un geste tranchant
de la main. J'ai dit très exactement ce que je voulais
dire. En fait, j'ai dit très précisément ce qu'il *fallait*
dire. Ensuite, qu'on ne m'ait pas compris, ou qu'on
ait choisi de ne pas me comprendre, je n'en doute
guère. Mais n'est-ce pas là le destin de ceux qui osent
affirmer à voix haute des vérités malcommodes ? On
refuse de comprendre maintenant. Mais on comprendra parfaitement bien lorsque les temps seront mûrs.

— Ce qui ne saurait tarder ?

— Ce qui ne saurait tarder ! Tous ceux dont la vue
est suffisamment claire et perçante ne peuvent manquer d'être d'accord sur ce point.

— J'en suis bien aise, dit l'autre en se relevant
pour laisser le serveur placer devant eux deux grandes
assiettes fumantes. En attendant, ne laissons toutefois
pas refroidir ce simple chef-d'œuvre de l'art culinaire,
art plus modeste, il est vrai, que celui que vous prati-
quez, mais qui se révèle parfois presque aussi indispensable – au corps du moins, si ce n'est, ajouta-t-il
avec un regard froidement rieur, – à l'âme.

Sur ces mots, il trancha d'un coup net un bout
d'un beau steak expertement grillé, sur lequel un
morceau de beurre aux fines herbes commençait déli-
catement à fondre. Le jus rouge et riche se répandit
sur l'assiette, teignant les frites allumettes qui accom-
pagnaient la viande. Il goûta le mets les yeux fermés,
comme pour y accorder toute sa concentration, puis
les rouvrit et il s'en dégagea comme une flamme.

— Il se peut, reprit-il, si vous me pardonnez de revenir une fois de plus sur le sujet, que la faute, en admettant que l'on puisse parler de faute, en soit à l'adjectif. Un adjectif, vous en conviendrez – et là il dévoila des dents immaculées dans un sourire régulier –, quelque peu... vague. Est-ce là le terme qui s'impose ?

Le jeune homme – car en dépit du fait qu'il avait sans doute passé la trentaine depuis un bon moment, il se dégageait de sa personne une impression forte de vigueur, et même de fraîcheur – lui rendit poliment son sourire, mais sans pouvoir s'empêcher de le laisser se transformer peu à peu en grimace.

— C'est trop facile, objecta-t-il en enfourchant quelques frites dorées sur sa fourchette, de faire de l'esprit si bon marché. Je continue cependant d'estimer que c'était effectivement là l'unique adjectif auquel on pouvait avoir recours étant donné les circonstances. Précis. Et la précision paraît toujours dérangeante aux esprits embrouillés.

— Loin de moi l'idée de vouloir me moquer, répondit son commensal en continuant d'attaquer la viande avec un plaisir évident. Mais avouez qu'il a pu avoir quelque chose de déroutant pour certains. De choquant, même, ne trouvez-vous pas ? Du moins si l'on s'arrête à ce que sa signification peut évoquer strictement au premier degré.

L'homme à la lavallière secoua la tête comme pour se débarrasser d'une mouche importune.

— J'aurai au moins prouvé que les mots peuvent être aussi efficaces qu'un acte, puisqu'on parle maintenant de ma phrase autant, si ce n'est plus, que du geste qui l'a inspirée.

— Et vous pouvez en être légitimement orgueilleux, approuva son interlocuteur. Ce qui ne cesse évidemment de provoquer la compréhensible jalousie de ceux d'entre nous qui ne possèdent pas le don d'évoquer du néant, à volonté, les mots capables de faire frémir les foules... Je vous confesserai d'ailleurs que j'en ai tout particulièrement apprécié le ton, ce que les malheureux qui n'auront appris votre déclaration qu'à travers le compte rendu des journaux ne peuvent se faire une idée.

L'autre se rengorgea, et faisant tournoyer devant lui sa fourchette abondamment garnie de frites tout comme un chef d'orchestre son bâton, récita d'une voix empreinte de toute la *gravitas* indispensable :

— Qu'importent quelques vagues humanités, lorsque le geste est beau ?

L'autre posa un instant fourchette et couteau pour ébaucher le geste d'un applaudissement.

— Voilà, voilà, c'est tout à fait ça ! J'abandonne toute réticence en vous l'entendant redire ! Simple, efficace, et belle aussi, comme phrase. Détonante, si vous me permettez une comparaison prévisible mais néanmoins aussi sans doute juste !

— Vous vous moquez de nouveau...

— Aucunement ! Quoique vous ne nierez pas qu'on ne devrait pas trop s'étonner de s'exposer à quelques critiques, quand on compare à de *vagues* humanités – il souligna le terme en imitant le ton que venait d'utiliser son compagnon pour le prononcer – près d'une soixantaine de représentants du peuple réunis dans l'hémicycle du Palais-Bourbon. Ces braves gens, vous pouvez vous en douter, sont habitués à ce qu'on apprécie tout différemment leurs qualités, et surtout leur statut.

— Croyez-vous? Je parie qu'ils ne pensent plus tout à fait de la même façon depuis quelques semaines. Cette fois-ci, ils sont passés près, et cela a dû leur donner un peu à réfléchir, même s'ils n'en ont pas tellement l'habitude. Ce qu'il y a d'embêtant est qu'on ne peut s'imaginer que trop bien où leurs réflexions les mèneront... Ce Vaillant fera mieux de mériter son nom, car même s'il est arrivé – qu'il l'ait fait exprès comme il le dit ou pas – à ne tuer personne, cela m'étonnerait qu'on le traite avec des gants.

— Pensez-vous qu'ils voudront en faire un exemple? demanda l'homme à la barbe en pointe en se penchant encore un peu plus en avant, comme s'il s'apprêtait à boire avidement les mots de son compagnon.

— Un exemple! approuva celui-ci. Ce n'est que trop probable. Seulement, lui aussi, en premier, en a donné un exemple. Et ce ne serait guère étonnant qu'il se trouve quelqu'un pour l'imiter. On croirait voir un mécanisme à l'œuvre. Les attentats se suivent. Chaque fois, on met la main au collet du responsable, ou du moins c'est ce que la police prétend, et peu de temps après voilà qu'un autre zigoto sorti d'on ne sait où remet ça, et c'est pire. Mais enfin, quand je dis pire, n'est-ce pas, vous comprenez ce que j'entends. Tout est question de point de vue. Et je persiste à croire qu'en dépit de ce que peuvent bien prétendre les gâte-papiers à la solde du pouvoir, il y a une beauté dans ces actes qui dépasse largement les intentions qui ont pu les dicter, et même la personnalité de celui qui les commet. Une beauté objective, si vous voulez.

Ils furent interrompus par deux serveurs qui leur amenaient un gros bol de salade mêlée sur un petit chariot argenté, naviguant la pièce sans que les roulettes parfaitement huilées ne fassent le moindre bruit sur le plancher en bois ciré. La salle du restaurant s'était assez rapidement remplie et le ronflement des conversations se mêlait au cliquetis des couverts. À la table juste à côté de la leur, encore tout sanglé dans son uniforme, dînait un lieutenant d'infanterie, qu'ils connaissaient les deux de vue comme étant l'officier commandant le piquet de garde au Sénat, non loin de là.

L'homme à la lavallière joua avec une satisfaction évidente avec les tranches juteuses de tomate qui tachaient le vert délicat de la laitue.

— Saviez-vous, lui demanda l'autre – à qui cette expression de plaisir n'avait pas échappé –, que M. Foyot, que nous avons aujourd'hui le plaisir d'avoir comme hôte, avait été l'un des cuisiniers attitrés du duc d'Orléans avant la dernière révolution ? Cela sans nourrir pour autant des opinions particulièrement monarchistes, simplement pour pouvoir exercer au mieux sa passion et sa profession confondues. Nous pouvons dire que ce midi nous déjeunons véritablement comme des rois.

— En effet, avec un mets simple mais précisément et méticuleusement composé avec les ingrédients les plus fins. Tout à fait, on y revient toujours, comme une œuvre d'art. Car la démocratisation, je suis sûr que vous voyez ça comme moi, celle avec laquelle nos gouvernants maintenant quelque peu malmenés se rincent volontiers la bouche, signifie également cela : reconnaître la beauté partout où elle se présente, dans ses sources comme dans ses manifestations, y compris les plus humbles ou les moins habituelles.

— L'art à la portée de tout le monde, reconnue dans l'ensemble de ses incarnations chez l'intellectuel tout comme chez l'ouvrier, le paysan, l'artisan, le trimardeur !... La culture élargie à tous les domaines de la vie, où elle n'a cessé d'œuvrer, ignorée par les philistins qui veulent l'enfermer dans un cadre ou l'emprisonner entre deux couvertures et qui ne la reconnaissent qu'une fois qu'elle est habillée du vert de l'Académie ! Vous avez une vision d'une lucidité qui est proprement révolutionnaire, savez-vous, mon cher Laurent – vous permettez que je vous appelle par votre prénom, n'est-ce pas ? Guère surprenant que des yeux obnubilés par les préventions de caste n'aient encore su l'apprécier dans toute sa vigueur, malgré l'expression limpide que vous lui donnez dans vos ouvrages. Vous, qui êtes un des écrivains les plus doués de la jeune génération...

— Oh ! répondit celui-ci en se lissant la barbiche d'un air entre le ravi et le gêné, vous m'attribuez plus de mérites que ceux auxquels je peux avoir droit. Il s'agit d'idées qui sont dans l'air du temps, et qu'il suffit de savoir sentir, percevoir, identifier... Une chose toutefois, qu'il ne faut pas oublier – et là il ne put s'empêcher d'élever en l'air un index magistral –, il ne faut pas oublier l'intention ! Il faut qu'il y ait intention ! Sans cela, rien qui tienne, rien qui vaille authentiquement !

— Bien sûr, vous avez raison, agréa facilement son interlocuteur en hochant plusieurs fois du chef. Sans intention, on serait par moments obligé de reconnaître une beauté esthétique – parfaitement involontaire, il va de soi –, même aux agissements de quelques vagues humanités comme celles au sujet desquelles nous devisions tout à l'heure, dont les motifs déterminants sont cependant clairement autres, sans parler des buts...

L'écrivain laissa échapper un petit rire légèrement forcé et choisit de terminer son assiette de salade avant de tenter une réplique quelconque. Les rayons du soleil qui pénétraient par la fenêtre jouaient sur les feuilles d'un vert délicat, humides de vinaigrette, dont ils transformaient chaque goutte en un éclat doré. Il but encore une gorgée généreuse de vin, qu'il fit tourner avec délice dans la bouche, et cassa un morceau de pain croustillant et odorant avec lequel il se mit, l'air concentré, à éponger son assiette.

Son interlocuteur, qui avait dévoré la viande mais avait choisi de dédaigner ce qui l'accompagnait, l'observait toujours attentivement, ses lèvres fines, tout légèrement décollées, faisant apercevoir sa dentition régulière d'une blancheur éblouissante.

— Le tout est donc de savoir, et j'y reviens toujours, reprit-il – en soupesant d'une main pâle le verre de cristal dans lequel ondulait mollement un bourgogne millésimé d'un rouge rubis pénétrant –, qui peut ou doit rentrer dans cette catégorie des « vagues humanités » que vous venez de créer, et qui, je ne pense pas m'abuser, est promise à un bel avenir dans le discours politique et sociologique, en plus que littéraire, de notre pays bien aimé.

L'écrivain toussota comme si le vin qu'il venait de savourer, du bout des lèvres cependant cette fois, lui avait irrité la gorge.

— On ne peut tout de même pas établir des listes de prescription, se récria-t-il en laissant percer un léger déplaisir. Il y a des choses que l'on comprend ou que l'on ne comprend pas. Des conceptions auxquelles il nuirait d'être arbitrairement figé.

Une ombre imprécise se dessina un instant sur la table entre eux, comme si un nuage d'orage était passé rapidement dans le ciel, emporté par un vent furieux. Le regard de l'écrivain dévia vers la fenêtre, puis revint tout de suite se porter sur son partenaire, qui l'observait toujours avec un mélange d'attention obséquieuse et de quelque chose d'autre, qui aurait été bien plus ardu à définir.

— Je suis tout à fait de votre avis, s'empressa d'affirmer ce dernier, mais il n'en reste pas moins que le jumelage frappant de cet adjectif et de ce substantif, « vagues » et « humanités », que nul écrivain n'avait encore eu l'ardeur d'essayer jusqu'ici, soulève probablement certaines difficultés pour ces lecteurs qui aimeraient se situer dans la catégorie générale ainsi indiquée, mais qui rechigneraient à se voir appliqué le terme, pourtant si précis dans son imprécision, que vous lui collez. Si on devait cependant accroître ne serait-ce que marginalement le degré de précision nécessaire, et spécifier qu'il s'agit là majoritairement, si ce n'est exclusivement, des humanités qui s'agitent dans l'enceinte du parlement, cela éviterait bien de navrants malentendus possibles. Cela simplifierait aussi admirablement, de manière franche et catégorique, votre position jusqu'ici entachée aux yeux de certains d'une petite dose malvenue d'ambiguïté. Cela bien malgré vous, ça va sans dire... Ne pensez-vous pas que vous pourriez vous garantir ainsi un succès encore plus franc auprès des masses, qui vous pendent aux lèvres ? Et qui seront les lecteurs de l'avenir ? Ne serait-ce pas, comment dirais-je, tentant ?...

L'écrivain toussota derechef. Il reporta le verre à ses lèvres et goûta de nouveau l'excellent vin qu'il s'était fait un plaisir de choisir sur une des cartes les mieux conçues de la ville, et par conséquent du pays, et on avait envie de pouvoir dire du monde. Il avait toujours eu la faiblesse de se croire tout autant ferré en œnologie qu'en matière littéraire. Son regard fut de nouveau attiré par une ombre insistante qu'il lui parut apercevoir de l'autre côté de la fenêtre, voilée par le rideau rouge des géraniums, mais il ne s'y attarda pas tant les mots qu'il venait d'entendre semblaient s'être logés quelque part juste en dessous de son diaphragme, comme un objet étranger qui pesait obstinément sur l'estomac qu'il venait pourtant de remplir avec autant de contentement.

— Vous n'y pensez pas ! se surprit-il à éructer en lançant à son compagnon un regard moins bienveillant qu'il ne l'aurait peut-être fallu. C'est déjà une tache surhumaine de tenter de faire comprendre à ces cervelles bornées la différence qu'il peut y avoir entre une phrase bien pesée et un geste instinctif, quoique, s'empressa-t-il d'ajouter avant que son accompagnateur n'ait le temps de formuler l'objection que la lueur qui avait passé dans ses yeux laissait supposer, je continue d'affirmer le rapport étroit qui unit le verbe à l'action ! Mais encore faut-il savoir quel verbe ! Encore faut-il peser l'action ! Ni les uns ni les autres ne se valent indifféremment. Et les gardiens de ce qu'ils appellent l'ordre ne demanderaient pas mieux que de pouvoir confondre en une seule catégorie, judiciairement punissable, tous les verbes et toutes les actions qui ne les caressent pas exactement dans le sens du poil !

Ils furent interrompus par le serveur, qui vint leur proposer des cafés qu'ils s'empressèrent les deux d'accepter. L'écrivain n'objecta pas à l'idée d'accompagner le breuvage d'une tranche de gâteau aux fruits et à la crème, dessert qu'il affectionnait tout particulièrement et qu'il avait eu maintes fois l'occasion de goûter chez Foyot, qui en faisait une de ses spécialités.

— Vous auriez tort, se résolut-il enfin à dire, sentant qu'il lui fallait préciser sa pensée, de prêter à mes paroles une valeur trop étroitement identifiable. On ne peut indûment figer ce qui, par définition, reste indéfini. Cela sans parler de l'inconvénient accessoire que je viens d'évoquer ; la maréchaussée apprécierait fort peu qu'on établisse des limites aussi définitives que celles que vous paraissez suggérer à la catégorie que j'ai évoquée. Et le devoir principal de la libre expression est de tacher de rester libre. Sans quoi, elle aurait de la peine à continuer de s'exprimer.

L'homme à la barbichette noire découvrit encore un peu plus ses dents d'ivoire pour laisser passer un rire étouffé, qui semblait surgir du plus profond de son être. Il hocha lentement la tête, tout en levant son verre, encore plein, comme pour souligner l'importance qu'il accordait aux explications de son compagnon.

— À la santé, proposa-t-il, de l'humanité, au

singulier, et des humanités, au pluriel, dans ce qu'elles peuvent avoir de plus ou de moins vague selon le moment et les circonstances !

Le ton sur lequel le toast avait été proposé était suffisamment enjoué pour que l'écrivain puisse sourire à son tour et lever lui-même un verre largement entamé à la rencontre de celui de son compagnon.

La perception des événements qui suivirent fut telle qu'en y repensant par la suite, comme il eut souvent le loisir de le faire, l'écrivain resterait incapable de déterminer avec précision l'ordre exact dans lequel ils s'étaient produits. Alors que les verres s'approchaient l'un de l'autre, son œil dériva encore une fois vers la fenêtre et il crut y voir, dans l'angle inférieur gauche, un bout de tête dépasser par-dessus les fleurs. Un bout de tête qui lui paraissait familier. Un nom lui traversa instantanément la conscience. Celui d'un confrère. Félix. Il se demanda confusément ce qu'il pouvait bien faire là. Mais la vision fut immédiatement remplacée par celle d'un objet qu'il aurait été bien incapable d'identifier, que l'on venait de poser sur le rebord, de l'autre côté de la vitre, entre la mystérieuse tête et lui. Pendant que les verres esquissaient leur parcours inverse et complémentaire, il lui sembla voir – ou imaginer ? – un mince fil de fumée qui sortait de l'objet en question. Et puis les verres qu'ils tenaient à la main furent emportés, et la fenêtre se défit en un millier d'éclairs de lumière qui s'éparpillèrent partout dans la salle, et le mur lui-même s'étiola, et la table devant laquelle ils étaient assis se releva d'un côté et disparut de son champ de vision, pendant qu'une flambée énorme teignait le monde de rouge. Il vit encore son compagnon de ce jour immobile, comme si de rien n'était, au milieu de la vague ardente qui les enveloppait, la bouche toujours entrouverte en un sourire étonnamment paisible. Puis, le silence. Avant les cris. Qui vinrent tous en même temps, aigus, sauvages. Il se releva, conscient seulement alors d'être tombé. Des mains attentives vinrent le prendre sous les aisselles, le remettre doucement debout sur des pieds encore instables. « Laurent, entendit-il, me voyez-vous ? » Il regarda. C'était bien son ami, ou alors non, son accompagnateur, plutôt, dont il avait enregistré la silhouette indifférente, baignée de l'éclat furieux de l'explosion, comme une ombre d'un noir de jais au milieu des flammes. Il le regarda, se demandant pourquoi il lui paraissait étrangement déplacé vers la droite, alors qu'il aurait dû se tenir juste en face de lui. Puis il vit une main s'approcher de son visage et disparaître bizarrement, et il ressentit pour la première fois une espèce de douleur. Il vit encore la main qui réapparaissait, tenant entre le pouce et l'index une écharde de verre, pointue, humide encore de quelque matière à laquelle il préférait ne pas penser.

— Mon Dieu, Laurent ! s'exclama son compagnon – et même en ce moment fatal l'écrivain ne manqua pas de sentir ce que l'exclamation pouvait avoir de complètement incongru, de franchement blasphématoire, venant de telles lèvres –, un bout de verre ! Vous l'avez reçu dans l'œil...

Il s'effleura le visage de la main droite, sentant comme des aiguilles qui le picotaient douloureusement un peu partout. Il comprit. Tout fut clair. La bombe. L'explosion. La blessure. Il avait perdu un œil. Les voix des autres estropiés formaient un concert de gémissements obscurs autour de lui. Un tremblement convulsif le prit.

Son accompagnateur, qui paraissait avoir été totalement épargné par la catastrophe, se tenait juste en dehors de son champ restreint de vision, la main posée sur son épaule comme un fer chauffé à vif.

— Rassurez-vous, Laurent, il vous en reste un. Assez pour pouvoir encore apprécier la beauté. Et au fond, cela aurait pu être pire. Homère était aveugle. Vous avez toujours une grande supériorité sur lui !

Se ressaisissant, Laurent porta de nouveau avec précaution une main au visage et fixa son œil restant dans le regard quelque peu ironique de son interlocuteur, que les flammes n'avaient nullement incommodé. Il trouva moyen de forcer un sourire.

— N'allez pas croire, dit-il d'une voix qui était déjà en train de retrouver sa fermeté, que je vais changer d'opinions pour autant.

L'autre ébaucha une révérence et l'assura sur un ton respectueux qu'il ne lui aurait jamais fait le tort de douter de sa cohérence.

Ils sortirent de la salle ensemble, côte à côte, alors que les premiers secours commençaient à arriver, comme s'ils avaient voulu se soustraire à la vue des gens attirés par l'explosion. Dans la lumière décroissante du soir, la silhouette noire du compagnon de l'écrivain, mince et élancée, parut s'effilocher comme la dernière volute de fumée d'un incendie qui se dissipe...

LA MANIFESTATION

Les premières fumées faisaient penser à des feux de camp. Et des feux, il y en avait eus, ici et là, pour se réchauffer mais surtout pour créer des points de lumière autour desquels les gens pouvaient se rassembler. C'était étrange, mais le feu avait quelque chose de solide. On pouvait se mettre en cercle autour d'un bûcher improvisé où brûlaient des vieilles portes défoncées et tout autre rebut combustible, avec la peinture qui craquelait et bouillonnait, et avoir l'impression que tout allait bien. La chaleur donnait de la force.

Mais ces fumées étaient différentes. Elles montaient d'abord droit dans les airs, en une ligne juste un peu tremblée, et puis s'élargissaient rapidement. En s'élargissant, elles ne perdaient pas de leur épaisseur. Au contraire, on aurait dit qu'elles grossissaient tout en devenant plus compactes encore. Quand on était pris dedans, on ne voyait plus rien. Le reste de la place, le reste du monde, finissaient par ne plus exister.

Les explosions n'étaient pas ce à quoi on se serait attendu. Des coups secs, brefs, quelque peu étouffés. Rien qui ne paraisse bien inquiétant. Mais après, tout de suite après, les gens commençaient à s'égailler, à courir, se couvrant le nez et la bouche d'un bout de leur veste, d'un coin de t-shirt remonté avec difficulté, qui laissait voir des ventres blancs, poilus, qui ne semblaient pas avoir connu le soleil depuis bien longtemps. Ils se rentraient dedans, se heurtaient en lâchant des jurons, lançaient des avertissements, toussaient, crachaient. Certains se retrouvaient à genoux, incapables d'aller plus loin, se recroquevillaient sur eux-mêmes, le dos secoué de spasmes. On ne les entendait plus cracher dans la confusion ambiante.

La charge vint presque tout de suite après. Ils surgirent de ce brouillard artificiel qu'ils avaient eux-mêmes répandu, en rangées ordonnées. On voyait d'eux les grands yeux, des yeux comme ceux de ces poissons qu'on tire parfois des profondeurs de l'océan, d'eaux où il ne reste pratiquement plus d'oxygène, qui vivent on ne sait comment d'on ne sait quoi, et dont les bouches larges sont ornées d'une dentition acérée et irrégulière. Mais eux, ils n'avaient pas de bouche, et d'une certaine façon cela les rendait encore plus effrayants. Ils n'avaient que des yeux, des yeux énormes, ronds, cerclés de caoutchouc noir. Des pupilles qui renvoyaient la lumière au lieu de la refléter. Ils avançaient vite, sautillant étrangement au milieu de la fumée, tenant à bout de bras de très longues matraques noires. Eux aussi, ils étaient noirs, des pieds à la tête.

Mais ils n'étaient pas les seuls. Nous aussi, nous

étions habillés de la même façon. Ou en tout cas d'une façon semblable. Nous pouvions à peine les distinguer dans l'obscurité qu'ils avaient créée. Eux non plus ne pouvaient guère nous voir clairement au milieu de cet embrasement qu'ils avaient provoqué et dans lequel ils bougeaient maintenant de plus en plus lentement, comme s'ils se demandaient jusqu'où ils pourraient avancer, combien de territoire il leur fallait reprendre avant de recevoir l'ordre de s'arrêter, ou de se replier.

Les matraques tombaient dru sur les dos voûtés de ceux qui étaient tombés, interrompant de leurs coups violents les spasmes qui les secouaient. On n'entendait même plus leurs cris. On entendait simplement un bruit, un très grand bruit multiforme, dans lequel il aurait été impossible de distinguer exactement ce qui venait de l'un ou de l'autre. Un hurlement qui paraissait surgir de terre.

Nous pûmes cueillir les premiers sans même que leurs camarades s'en aperçoivent. L'élan les avait amenés à l'avant-garde, à moins que cela n'ait été leur soif de la douleur des autres. Ils se précipitaient, sûrs de l'appui qu'ils avaient derrière eux, sans se rendre compte qu'ils étaient maintenant suffisamment éloignés, ne fût-ce que de quelques mètres, pour ne plus pouvoir compter sur personne. Et quand nous les avions entre nous, il suffisait d'un coup. Un coup pour chacun, bien placé, et soudain ils se ratatinaient, roulaient par terre, emportés par leur propre vitesse, surpris d'avoir été surpris. S'ils bougeaient encore, s'ils essayaient de se relever, un des amis de l'arrière leur plaçait un dernier horion solide entre les omoplates, sur la nuque lourdement casquée qui résonnait comme une cloche fêlée, et ils s'écroulaient à plat. On pouvait alors ramasser leurs matraques, faites de caoutchouc fondu en une masse unique autour d'un noyau d'acier élastique. Et on attendait le prochain.

Une fois qu'on a eu arrêté la première vague, toutefois, il y eut une pause. Très courte, mais dans l'agitation du moment, elle parut durer un siècle entier. Et puis un mur fondit sur nous.

Nous nous étions organisés aussi bien que possible. Chacun était à sa place, et il faut bien dire que presque personne ne lâcha, presque personne ne s'enfuit devant ce qui était en train de nous dégringoler dessus. Le fait est qu'ils étaient trop nombreux. Ils avançaient comme une file de moissonneuses-batteuses, si près l'un de l'autre qu'il aurait été impossible de se glisser entre eux, même entre leurs jambes. Et une deuxième rangée suivait. Nous, nous étions seuls, avec nos boucliers improvisés faits de couvercles de poubelles, de tout ce qu'on pouvait ramasser et qui pouvait se tenir devant soi, pour faire barrage. Les premiers parmi les nôtres furent littéralement broyés, sans même avoir le temps de tenter une résistance quelconque. Ils leur passèrent dessus presque avec indifférence, comme s'ils n'avaient pas plus de poids que des fétus de paille. On ne les voyait plus, entre les bottes de cuir lustrées qui laissaient leur marque, aurait-on dit, même sur l'asphalte surchauffé de la rue.

Les policiers durent fatiguer un peu, malgré tout, après le premier choc. On put tenir un moment, croire même brièvement qu'il serait possible d'inverser la tendance. À deux ou trois endroits, le long du front qui s'étendait suivant l'avenue principale de la ville, en face des bâtiments austères du Parlement, les nôtres réussirent à percer le premier rang. Mais ils n'allèrent pas plus loin, et disparurent bientôt au milieu des troupes épaisses et fraîches qui suivaient.

Et puis ce fut la débandade. À un seul endroit, près de l'entrée du stationnement municipal, les insurgés repoussèrent victorieusement les colonnes des policiers. Mais eux aussi, une fois que le reste de la ligne de front avait définitivement cédé, furent obligés de se retirer. Et ils sombrèrent dans les sous-sols, poursuivis par les légions mécaniques des cogneurs, qui avançaient indépendamment de tout, comme un troupeau de vaches effrayées qui balayaient la prairie de leurs cornes baissées.

Il fallut une demi-journée pour nettoyer toute la zone. Les paniers à salade arrivaient par dizaines, sirènes hurlantes, dérapant sur la chaussée mouillée par des giclées de sang. On y jetait ceux qui ne pouvaient plus bouger, on y poussait ceux que leurs jambes parvenaient encore à les faire se tenir debout. Ensuite on repartait. On ne savait pas trop où. On n'entendit plus parler d'eux.

Dans les journaux, on n'en discuta guère. Comme il était impossible de passer l'affaire entièrement sous silence, il fallut bien consacrer un certain nombre d'articles à des dénonciations dégoûtées de la sauvagerie de quelques dizaines de casseurs, qui s'étaient laissés aller jusqu'à démolir des vitrines, voler ce qui se trouvait à l'étalage des magasins qui n'avaient pas eu le bon sens de se barricader alors qu'on savait, qu'on avait annoncé, que des manifestations allaient avoir lieu. La population pouvait toutefois se sentir pleinement rassurée. La tranquillité avait été restaurée grâce au professionnalisme et au dévouement des forces de l'ordre. Tout était de nouveau paisible. Et allait le rester.

En tout cas, jusqu'à la prochaine fois.

LE FILS DU ROI BON

Il y avait une fois un pays gouverné par un roi très âgé. Dans toutes les maisons du royaume, on pouvait admirer son portrait au visage nanti d'une longue moustache blanche et soyeuse, souvent entouré, selon les cas et l'inspiration de l'artiste, de la Vierge Marie et de son fils, ou de légions d'anges aux ailes déployées en corolle autour de sa tête, dont la blancheur éblouissante répondait à celle qui entourait le sourire bienveillant et paternel du roi. C'était, disait une cartouche, le roi bon, et sa nation jouissait d'une longue paix depuis la dernière guerre et paraissait sommeiller au milieu de ses montagnes aux pics éternellement enneigés.

Ce roi à l'âge vénérable avait un fils qui lui succéderait. Le prince était un bel homme vigoureux, aux cheveux blonds et aux traits mâles mais empreints d'une indéniable douceur, qui, depuis son plus jeune âge, avait été soigneusement éduqué pour pouvoir remplir le rôle que la Providence et son héritage lui auraient dévolu. Pour s'y préparer dignement, le jeune homme avait profité d'une éducation complète, combinant les sciences et les arts, la philosophie et la musique, sans oublier l'exercice physique qui donnerait à son corps la vigueur nécessaire pour affronter la tête haute ses taches futures et porter sur ses larges épaules, tel Atlas soutenant le monde, le poids des responsabilités léguées par une longue lignée d'ancêtres.

Or, malgré son amour filial qui était grand, le jeune prince ne pouvait se cacher le fait que les jours sur terre de son père touchaient à leur fin. Le vieux roi gardait toujours, sanglé dans son uniforme brillant de médailles, la rigidité de maintien qu'exigeait son rôle, mais son regard d'aigle se voilait par moments et les extrémités de sa moustache, fièrement redressées pendant toute sa longue existence, défiaient la cire et tombaient de plus en plus pour épouser la courbe descendante d'une bouche aux lèvres chaque jour un peu plus pâles.

Pénétré de l'importance des responsabilités qui allaient bientôt être siennes, le jeune prince prit en secret une décision à laquelle il avait longtemps réfléchi. Il convoqua un beau matin à ses côtés un vieux serviteur qui l'avait suivi, soutenu et aidé dans toutes les aventures naïves de son enfance, dans les pulsions rebelles de son adolescence inquiète et dans les explorations judicieuses de sa jeune vie adulte. Il lui expliqua ses intentions, lui détailla ses plans, formés à l'aide de longues réflexions et nourris de lectures parfois déjà anciennes, et s'assura non seulement de sa discrétion, qu'il jugeait acquise, mais également de son soutien actif. Ceci fait, il annonça à ses augustes parents son intention de s'absenter l'espace de quelques semaines, pour s'adonner à son sport préféré : le ski dans les montagnes de l'Est, où la famille royale disposait d'un château perché au sommet d'une cime que des neiges précoces avaient déjà blanchi d'une couche épaisse.

Aussitôt dit, aussitôt fait, le prince partit pour cette demeure hivernale accompagné d'une suite importante, mais guère excessivement nombreuse, et d'un escadron de cavalerie censé lui ouvrir dignement le chemin. Sans oublier trois ou quatre tambours et un nombre équivalent de trompettes.

Les deux premiers jours, il eut soin de se montrer assidu sur les pistes, pour que la voix de sa présence se diffuse auprès des habitants. Le troisième jour, il s'élança sur une pente connue pour être particulièrement traîtresse, et après quelques instants d'une descente des plus rapides, il prit un virage à un angle trop aigu et dégringola pour un bon bout le long de la façade raide de la montagne, s'arrêtant, entouré d'une masse de neige fraîche et collante, contre le large tronc d'un sapin.

À partir du lendemain on sut au château que le jeune prince ne s'était rien cassé lors de son accident, mais que le médecin lui conseillait néanmoins quelques jours de repos total pour se remettre des suites d'une chute dont la sévérité avait dû, malgré tout, éprouver quelque peu même son physique d'athlète achevé.

Le soir du premier jour, juste après que les derniers rayons du soleil avaient disparu derrière les crêtes irrégulières des montagnes, le prince, habillé de manière à ne pouvoir être reconnu, eut un dernier entretien avec son fidèle serviteur et se mit en chemin pour descendre à pied la longue route qui menait à la plaine, un baluchon sur l'épaule.

Une fois revenu dans les rues étroites et sombres de la capitale, le prince frappa à la porte d'une auberge dans un quartier populaire dans lequel jamais encore il n'avait mis les pieds, et demanda à la femme qui vint lui répondre si elle avait une chambre à louer. Celle-ci lui répondit par un rire éraillé, et lui dit, son haleine transportant jusqu'à lui une odeur pénétrante d'eau-de-vie, que si le froid de la rue l'incommodait et s'il avait sur lui de quoi la régler à l'avance, elle saurait lui trouver une couche dans une chambre qu'il n'aurait à partager qu'avec trois ou quatre autres hommes tout au plus.

Le prince, que le froid commençait effectivement à traverser maintenant qu'il avait dû abandonner ses pelisses pour des vêtements plus appropriés au rôle qu'il avait décidé de jouer, ne se fit pas prier pour accepter cette proposition. Voilà une belle occasion, se dit-il, de voir et d'entendre de près certains de ses futurs sujets, de la vie desquels il n'avait guère encore eu la possibilité de se faire une idée aussi nette qu'il l'aurait souhaité. C'était là, après tout, le but qu'il s'était préfixé et pour lequel il avait organisé cette mise en scène, réalisée à l'insu de tout le monde à l'exception de son seul et fidèle complice.

La vieille femme, une bougie fumeuse à la main, le conduisit jusqu'à une pièce au plafond bas, immergée dans une obscurité absolue si ce n'était pour une unique flamme qui éclairait dans un coin les visages des trois hommes qui l'entouraient. La vieille le mena jusqu'à un tas de paille imparfaitement séchée, et serrant dans sa main ridée la pièce exigée en paiement, s'en fut, sans prendre la peine de lui souhaiter la bonne nuit.

Éprouvé plus qu'il ne se l'avouait par la longue marche dans la nuit frigide, le prince s'étendit sur le grabat qu'on lui avait désigné, serra encore davantage autour de ses épaules son manteau léger et tâcha de s'enfoncer dans la paille. Il sentait sur lui les regards des trois hommes, qui avaient baissé la voix lors de son arrivée et dont les discours ne lui parvenaient plus que comme un bruit confus et étouffé.

La nuit fut brève et parcourue de rêves étranges, dans lesquels, sans pouvoir s'imaginer ce qui évoquait de pareilles images dans son esprit, il vit des scènes de destruction, des maisons dont les façades s'écroulaient, des trous qui s'ouvraient dans la chaussée et laissaient entrevoir à leur fond le tremblement de feux infernaux. Ce fut bien peu reposé qu'il se réveilla peu après l'aube pour découvrir qu'il était resté seul. Il se lava dans la cour à un puits dont l'eau glacée eut vite fait de chasser les dernières traces de sommeil, s'y désaltéra, et partit de bon cœur à la découverte de ces parties de sa capitale qu'il n'avait encore jusque là jamais parcourues.

Ce qu'il vit le surprit au plus haut point. Des masures à l'air insalubre paraissaient abriter des légions innombrables de pauvres hères déguenillés, d'enfants pouilleux qui sautaient pieds nus au-dessus du ruisseau malodorant qui coulait au milieu de chaque rue. Les toits des maisons semblaient vouloir se toucher des deux côtés de chemins étroits, qui ne devaient connaître la lumière, si jamais ils la connaissaient, qu'à midi et pour un temps très bref.

Quelques échoppes d'artisans attiraient ici et là l'attention, points d'activité au milieu de l'empressement sans but précis ou de l'oisiveté des badauds. Le prince sentit sur lui les regards des passants et se rendit compte que les habits simples qu'il avait endossés, et qui lui avaient paru tout à fait aptes à passer inaperçu dans la foule de la ville, le désignaient de fait à l'attention des habitants, maintenant qu'il y avait suffisamment de lumière pour qu'on puisse l'examiner à son aise. Il prit alors soin de s'isoler un moment dans un cul de sac, roula sa veste dans la poussière et la boue du chemin, ouvrit une déchirure dans ses pantalons à la hauteur du genou gauche et s'étant convenablement sali les souliers, dont la semelle n'était malencontreusement pas trouée, il reprit son chemin, non sans s'être d'abord quelque peu noirci les mains de terre.

Sûr maintenant de son incognito, il put observer tout à son aise la vie grouillante du quartier et se faire une meilleure idée de ses dimensions, qui lui parurent bien plus vastes que ce à quoi il s'attendait. Il n'était pas sans savoir qu'en dépit des efforts constants de son père et d'une vie entière de sacrifices, il restait encore dans le royaume des poches de pauvreté, des zones sous-développées où les habitants – soit à cause de tares héréditaires insurmontables, soit en raison de leur manque d'ambition et de leur paresse inhérents – étaient encore loin de parvenir à un niveau de vie digne de ce nom. Il s'était en fait promis que ses tout premiers actes en tant que nouveau roi seraient dirigés au soulagement des malheurs de cette section déshéritée de la population, pour qu'ils puissent être exposés à des exemples louables qui leur donneraient envie de se sortir eux-mêmes des profondeurs de l'indigence dans laquelle ils se vautraient sans avoir la force de réagir. Dans ce but, il se mit à prendre mentalement des notes, à indiquer sur la carte qu'il construisait dans son esprit au fur et à mesure de ses vagabondages des croix qui marquaient des lieux où son action d'assainissement devrait s'exercer avec particulièrement de force et de décision.

Une chose qui le frappa plus que d'autres était l'accent particulier, et le vocabulaire souvent pour lui incompréhensible, des gens avec qui il se trouvait, pour des raisons quelconques, à devoir parler. C'était comme d'entendre une langue étrangère, vaguement reliée à celle qu'il avait apprise, mais débitée sur un ton et avec une vitesse d'élocution qui en faisaient une espèce de caricature de celle, pure et posée, qu'il avait toujours pratiquée. À ceux qui s'étonnaient de sa façon de parler, il répondait qu'il venait seulement d'arriver en ville depuis une contrée particulièrement reculée du sud du pays, où les habitants utilisaient entre eux un dialecte que les gens avaient l'habitude de trouver comique. Cela suffisait à endormir tout soupçon, même si cela pouvait avoir comme effet secondaire qu'il se fasse traiter avec quelque peu de suffisance, comme si ses origines prétendues faisaient nécessairement de lui un innocent ou un demeuré.

La journée se passa ainsi en explorations sans but particulier, le prince cherchant à comprendre ce qui faisait que ces gens restaient si loin en dessous du reste du royaume, tel qu'il avait appris à se l'imaginer à travers les descriptions que lui en avaient fait ses maîtres pour le préparer à son rôle. Et plus il découvrait les sordides détails de leur existence, plus il s'imaginait quelle serait leur reconnaissance le jour où son action bénéfique se ferait sentir dans les recoins les plus perdus de ces quartiers.

Le soir venant, il trouva une sorte de taverne où on lui servit, accompagné d'une bière sombre et épaisse, un brouet méconnaissable désigné du nom étrange d'« Arlequin ». La saveur en était singulièrement acide, et parmi les ingrédients il n'arriva à reconnaître que quelques têtes de poisson et des morceaux de pommes de terre qui surnageaient dans un liquide brunâtre. Puis, fatigué par les vagabondages de la journée, et n'ayant rien trouvé sur son chemin de plus accueillant, il rebroussa chemin jusqu'à la maison où il avait dormi la nuit précédente. Ces premières explorations lui avaient donné une certaine idée des milieux jusqu'à naguère insoupçonnables dans lesquels il avait plongé, mais il sentait qu'il lui fallait en savoir plus, et qu'une autre journée parcourue à sillonner ces quartiers si vastes et à en découvrir les habitants ne serait pas du temps gaspillé.

Une fois de plus, il se retrouva dans la même salle, tout aussi peu éclairée qu'elle l'avait été la veille. Le tas de foin avait au moins été retourné et, fatigué comme il était, s'il apprenait à ignorer les bruissements des quelques menus animaux ou insectes qui s'y abritaient, il dormirait sans doute bien. Mais ces bruissements ne pouvaient entièrement couvrir le bruit des voix des autres occupants de la chambre, qui avaient observé avec une sorte de sourde hostilité son arrivée.

Décidé à les ignorer, le prince leur tourna le dos et s'enfonça dans la masse du foin, pénétrée d'une subtile odeur de moisi. Il eut toutefois vite fait de découvrir que le sommeil le fuyait. Il avait devant les yeux les images des enfants, maigres et pouilleux, émaciés et bruyants, qui infestaient les rues, et ressentait une irritation prête à se transformer en rage contre les parents indignes qui les forçaient à vivre ainsi, dans la saleté et l'abandon. Il saurait, se répétait-il, mettre bon ordre à tout cela quand il serait devenu roi.

Tout à coup, il se sentit agripper par les épaules et deux mains à la poigne solide l'extirpèrent de son tas de foin comme s'il n'avait été lui-même qu'un petit enfant. En même temps, une voix rauque s'exclama, tout près de son oreille : « Je vous l'avais bien dit que c'était un espion et qu'il reviendrait essayer de percer nos secrets ! »

L'individu qui s'était ainsi emparé de lui, sans même que son physique pourtant exercé par la course et l'équitation ne paraisse représenter le moindre obstacle, le poussa rudement vers ses deux autres compères. Le prince tomba à genoux à côté d'eux, qui n'avaient même pas cru bon bouger de leur position accroupie, les jambes repliées comme des Indiens d'Amérique dans les illustrations des livres de voyage.

— Et moi je te dis que tu te trompes et que c'est un pauvre mec quelconque, dit l'un des deux, qui portait une barbe grise dans laquelle survivaient encore, comme des taches de moisissure, quelques touffes brunes.

— Mais s'il ne l'est pas... suggéra l'autre, dont le crâne d'une taille excessivement réduite disparaissait presque derrière une mâchoire prognathe.

— Justement, conclut celui qui l'avait poussé jusque là. S'il ne l'est pas, nous ne verrons peut-être pas le coucher de soleil de la journée de demain, et quant à moi, j'aime autant ne pas courir de risques.

Le prince aurait voulu dire quelque chose mais les mains qui le tenaient, fortes comme des pinces de métal, l'empoignaient maintenant à la gorge et l'empêchaient d'émettre le moindre son.

— Que veux-tu donc faire de lui ? demanda le barbu. T'en débarrasser ? Tu te rendrais coupable d'un délit. Et on ne peut pas entacher une mission comme la nôtre du sang d'un innocent. Cela lui ôterait toute sa valeur.

— On connaît tes opinions là-dessus, grogna le microcéphale. On n'est pas pour autant nécessairement d'accord.

— Fouille-le, au moins. Vois s'il a quelque chose sur lui. Si on peut comprendre qui il est...

Pendant qu'une main le tenait toujours par le cou comme s'il n'avait été qu'un simple poulet, l'autre lui fit rapidement les poches. À part le peu d'argent qu'il avait pris avec lui, ils n'y trouvèrent pas de quoi pouvoir l'identifier. Cela ne les rassura qu'à moitié.

— Qui es-tu ? et que viens-tu faire ici ? questionna le barbu sur un ton qu'il tentait sans grand succès de rendre aimable.

Le prince ressortit alors l'histoire sommaire qu'il

avait concoctée dans la journée chaque fois qu'une des personnes auxquelles il avait affaire s'étonnait de sa façon particulière de s'exprimer. Il le fit d'une voix nécessairement quelque peu étranglée, qui parut acquérir à cause de cela un accent encore plus exotique.

Après cela, on lui posa quelques questions sur la ville, depuis combien de temps il s'y trouvait, ce qu'il était venu y faire, et ainsi de suite. Ses réponses parurent apaiser quelque peu ses interlocuteurs.

— Je vous l'avais bien dit, affirma le barbu en tapotant paternellement l'épaule du prince et en clignant de l'œil vers ses amis.

— Il ne manquait plus que le plouc, commenta celui qui l'avait empoigné, qui se révélait maintenant être un géant au nez cassé et au crâne entièrement chauve, rond comme une bille. Il s'assit lourdement à côté du prince.

— N'empêche, dit le prognathe, que je suis pas mal sûr qu'il a entendu nos discours hier soir déjà, et que tout innocent qu'il est, l'idée pourrait lui venir de se faire un peu d'argent de poche en nous balançant aux gardes.

— Et que s'il ne l'avait pas eue avant, il l'a maintenant, espèce d'ahuri ! commenta le géant.

— Ne dramatisons rien ! trancha le barbu. S'il nous avait entendus, il aurait déjà pu nous dénoncer aujourd'hui, sans venir courir plus de risques en se joignant de nouveau à nous ce soir. Et puis, peut-être sa venue est justement ce qu'il nous faut. Après tout, la vérité sort souvent de la bouche des innocents – il sourit à ce moment-là au prince pour alléger ce que son expression aurait pu avoir de blessant. Alors pourquoi ne pas lui demander de trancher entre nous ? De dire qui d'entre nous a raison ?

Le géant et le microcéphale laissèrent échapper quelques borborygmes confus mais finirent par se montrer d'accord avec le barbu. Le géant sortit même de la poche intérieure de sa veste un flacon qu'il fit passer à la ronde. Le prince en but une petite gorgée et toussa abondamment, ce qui suscita l'hilarité de ses compagnons et lui valut encore une série de claques – bienvenues cette fois – dans le dos.

Puis le barbu se mit à parler. Et alors le temps parut s'arrêter. Il commença par décrire avec éloquence les conditions de vie pénibles, à la limite extrême de la survie, qui régnaient dans les régions du sud du royaume d'où venait leur nouvel ami, et qui forçaient tant de pauvres gens à venir tenter leur chance dans la capitale, augmentant ainsi le nombre toujours croissant des désespérés qui s'entassaient dans des masures tombantes pour y mourir à petit feu de faim et de désœuvrement. Il passa ensuite aux conditions guère plus reluisantes des prolétaires des grandes villes du royaume, traités à l'égal d'esclaves, dont le travail à peine rémunéré et physiquement harassant ne pouvait même pas leur permettre de subvenir aux besoins les plus immédiats de leurs familles. Il dépeignit les affres des mères face à leur progéniture affamée et malade, dont l'espérance de survie était encore inférieure à celle des animaux de la ferme. Il souligna les responsabilités de la classe bourgeoise, qui utilisait la masse du peuple comme source de travail à bon marché, sans se soucier d'autre chose que de son enrichissement personnel. Et il conclut en insistant sur la culpabilité évidente de l'aristocratie, le « roi bon » en tête, qui ne nourrissait son peuple que de grands mots pour perpétuer son oppression et garantir ainsi la richesse éternelle de sa famille et de ses proches, attachés aux veines de la nation comme des sangsues. À la fin de son discours, le prince en avait les larmes aux yeux et tremblait de tous ses membres.

— Mais ce n'est pas tout, renchérit le géant. Le plus important est que nous disposons de la solution à tout cela. Mais nous différons sur les modalités de sa mise à exécution.

— C'est vrai, continua le barbu. Tu sais que dans trois mois auront lieu les célébrations pour le soixantième anniversaire de l'accession au trône de notre roi. Il y aura un cortège officiel qui traversera la ville. Dans un seul grand carrosse se trouveront le roi, sa femme et leurs trois enfants, dont un, son héritier. Or, il se trouve que nous avons pu assembler, par des moyens trop longs et compliqués pour que je puisse te les expliquer, une grande quantité d'explosifs. Et que petit à petit nous les avons amoncelés, en les transportant par les égouts, sous un croisement où le cortège ne saura manquer de passer pour se rendre à la cathédrale où aura lieu la messe solennelle de remerciement. Les explosifs sont soigneusement dissimulés et personne ne serait capable de les retrouver avant la date fatale. Il ne faudra alors qu'une allumette, frottée au bon moment, et les portes de l'enfer s'ouvriront sous les pieds des tyrans. Une fois la famille royale disparue de cette terre, rien ne pourra plus arrêter le grand soulèvement du peuple.

La révolution aura lieu, et la justice sera rétablie.

— Mais...

— Car il y a un mais...

— Certains d'entre nous... dit le microcéphale en poussant en avant son énorme mâchoire...

— ...se font des problèmes de conscience, compléta le géant en grinçant des dents.

— La question est simple, précisa le barbu qui, des trois, était clairement celui qui avait le plus pesé en son esprit ces questions philosophiques. Il s'agit uniquement de savoir si un but noble et nécessaire peut être atteint par des moyens qui ne le sont pas. Mais si elle est simple, elle n'est guère secondaire. Personne ici ne met en doute le fait que le vieux tyran, qui nous écrase depuis une éternité, ou que son rejeton adulte, qui partage ses responsabilités et se prépare à le remplacer, ne méritent la mort qu'on leur réserve. Mais dans le carrosse, il y aura également les enfants, qui, eux, sont trop petits pour être considérés complices des crimes de leurs aînés. Est-il donc juste de sacrifier ainsi des vies innocentes pour que d'autres innocents puissent vivre ? Peut-on construire la justice sur cette terre si on inaugure son règne par un crime ? D'un autre côté, a-t-on le droit de laisser passer une occasion unique, qui ne se reproduira sans doute pas pour plusieurs décennies, de frapper les oppresseurs quand ils se trouvent tous ensemble en dehors des murs de leur forteresse ? Si nous n'agissons pas maintenant, serons-nous, nous-mêmes, coupables des crimes qui seront commis à cause de notre inaction ?

Le prince, tremblant encore d'émotion pour ce qu'il venait d'apprendre et pour la lumière toute nouvelle que ces discours jetaient sur un monde qu'il ne lui avait jamais été donné de voir avec les yeux de ces hommes, hésita avant de se prononcer. Les autres, voyant reflété sur son visage mobile le dilemme qui le travaillait, s'abstinrent de le pousser. Quelques minutes passèrent très lentement, pendant que le flacon d'eau-de-vie refaisait un tour. Puis, après avoir avalé en frémissant une longue goulée, le prince parla.

Il déclara que les scrupules dont ils faisaient preuve les ennoblissaient. Que le fait seul qu'ils puissent hésiter un instant sur la décision à prendre témoignait de leur haut sens de l'éthique, et qu'ils pouvaient en être plus que légitimement fiers. Cependant, il était des cas ou le poids d'une ou deux vies, fussent-elles les plus innocentes du monde, ne pouvait pas peser davantage sur les balances de la justice que celui d'une foule de misérables tout également purs dans leurs actions et dans leurs intentions. Il ne fallait pas, dit-il, se laisser émouvoir par le sort des individus alors que le sort de la collectivité était en jeu, non pas pour un jour, mais peut-être pour des générations. L'occasion qui se présentait à eux était trop rare pour qu'on n'en profite pas, et ses conséquences trop vastes pour qu'on en prive la société, qui pourrait à un tel point en bénéficier. Il termina en louant leur ingéniosité, leur initiative et leur courage, qui, dit-il, les élevait loin au-dessus du commun des mortels et leur garantissait une place dans le panthéon des héros de la patrie.

Les trois hommes demeurèrent un instant incapables de prononcer un seul mot. Puis le barbu le remercia de son raisonnement, qui, affirma-t-il, était tout aussi convaincant par le fond qu'il l'était par la forme. Il nota à l'intention de ses deux amis combien ils avaient raison d'avoir confiance dans l'avenir de leur pays, lorsqu'un simple paysan à peine sorti de sa province natale pouvait trouver en son esprit de tels trésors de raison et de pareils dons d'éloquence. Les quatre se serrèrent dans les bras, finirent de se partager le contenu du flacon et, le corps tout aussi réchauffé par le liquide que l'esprit l'avait été par les mots qu'ils venaient d'échanger, s'endormirent chacun sur sa botte de foin.

Le lendemain, lorsque les trois comploteurs se réveillèrent, ils ne trouvèrent plus à côté d'eux leur compagnon de la veille. Ils trouvèrent en revanche un peloton de dragons devant la porte, qui les arrêta et les conduisit avec la plus grande discrétion dans la bastille du château, où ils furent promptement et humainement décapités le jour même – ce qui fut facile et rapide pour tous sauf pour le microcéphale.

Le prince succéda à son père quelques mois à peine après la célébration en grande pompe du soixantième anniversaire de son règne. Il fit preuve d'une piété filiale que tout un chacun trouva admirable en faisant bâtir une cathédrale à la mémoire du « roi bon » à l'un des carrefours principaux de la capitale, même si le choix de l'emplacement parut étrange à certains. Et depuis ce moment, il gouverna lui-même pendant des décennies, ayant toujours clairement présente à l'esprit la différence qui doit exister entre la théorie et la pratique.

Parfois, il lui arrivait d'envisager la possibilité de rédiger des lois pour l'amélioration du sort des pauvres.

L'envoyé

La porte de la chambre à coucher s'ouvrit brusquement et une silhouette vint s'y découper, tracée par la lumière du soleil qui commençait seulement de se lever, pénétrant depuis la fenêtre de la cuisine.

Le bruit des gonds fatigués réveilla Michel. Il vit les épaules carrées, la taille serrée par une large ceinture, la casquette posée tout droit sur le crâne massif et il s'assit d'un bond sur son lit.

— Police ! Levez-vous tout de suite et suivez-nous !

Michel soupira.

— Ah, merde !... C'est pas des blagues à faire aux gens...

— N'empêche, dit la silhouette, arrache-toi de ton plumard et habille-toi. Je sors du boulot. Je vais tout de même pas aller boire un coup tout seul.

Puis il sourit et il ajouta :

— Ça t'apprendra à pas fermer la porte à clé. Tu fais trop confiance au monde.

Au rez-de-chaussée il y avait un bistrot qui ouvrait à cinq heures, fréquenté dans l'essentiel à ces heures-là par les ouvriers des usines des alentours, qui s'arrêtaient boire un café, arrosé ou pas, et avaler un croissant, avant de se faire avaler eux-mêmes pour la journée dans la gueule de Moloch. À leur exception, on y voyait encore quelques artisans survivants qui y faisaient un bref arrêt avant d'aller ouvrir leurs échoppes, et parfois un ou deux fêtards qui finissaient leur nuit lorsque les autres commençaient leur journée. Mais de ceux-là, pas beaucoup et pas souvent. Ce n'était pas leur milieu.

La serveuse, que Michel connaissait et qui l'aimait bien parce qu'il était gentil, disait toujours « bonjour », « bonsoir », « merci » et lui laissait un pourboire, vint tout de suite s'occuper d'eux. Elle lança un regard admiratif à l'uniforme de son copain, encore dénué de tout pli suspect malgré le fait qu'il avait dû passer la plus grande partie de la nuit à roupiller, couché par terre dans quelque coin.

Le copain commanda une pression. Ça se comprenait. Il venait de terminer une dure nuit de travail. Pour éviter qu'il se sente mal à l'aise, Michel aussi commanda la même chose. Ils burent une longue gorgée, question de se remettre les cordes vocales en état de marche.

— Tu étais où, cette nuit ? demanda Michel.

— Toujours au même endroit. Mais il n'y a plus rien qui vaille la peine.

Depuis une dizaine de jours on l'envoyait chaque nuit protéger des pilleurs une usine de montres qui avait cramé. Après que les pompiers avaient déversé sur l'usine la moitié de la mer Rouge, les propriétaires avaient récupéré tout ce qui n'avait pas été trop endommagé, ni par le feu ni par la flotte. Mais il restait des tas de trucs dans les débris, si on prenait la peine de fouiller un minimum. Trois nuits de suite, Michel avait passé les lieux au peigne fin, ramassant des boîtes et des boîtes de montres encore en excellent état qui étaient restées enfouies dans les décombres, et même deux bouteilles de schnaps au fin fond d'une armoire, qui n'avaient pas pété on ne sait pas pourquoi. Et il avait emporté ça à bicyclette, dans son sac à dos chargé à craquer, pendant que son copain le gardien de nuit se mettait en belle vue devant l'entrée principale, les mains solidement plantées sur les hanches. Deux voyages par nuit, une fois trois. Sans s'inquiéter. Parce que comme le copain le disait, « s'il y a des insomniaques qui nous voient, il suffit de leur montrer un uniforme et ils vont retourner tranquilles se coucher ».

Après trois nuits, toutefois, il ne restait vraiment plus rien de facile à transporter qui ait un minimum de valeur et qui puisse se revendre aisément.

Le gardien de nuit termina en une seule goulée le reste de sa bière et s'essuya les lèvres du dos de la main.

— T'as entendu les nouvelles ?

— Quelles nouvelles ?

— Il y a un gars qui est arrivé. On dit qu'il est ici pour aider à mettre sur pied une organisation.

— Et d'où est-ce qu'il sort ?

— Sais pas trop. Il est peut-être bien en contact avec ceux qui ont fait le coup à la centrale nucléaire, il y a deux mois…

— Tu crois ?

— Ce serait logique.

Le gardien, qui l'avait bien mérité, commanda une deuxième pression. Lui, il prit un café crème. Ce serait bientôt six heures.

Dans les jours qui suivirent, d'autres voix se firent entendre dans ce sens, mais évidemment ceux qui savaient ne pouvaient pas trop se déboutonner. Quant à ceux qui ne savaient pas, ça ne les empêchait pas d'émettre des suppositions, des hypothèses, ou tout simplement d'inventer n'importe quoi si l'envie les en prenait et s'ils n'avaient rien de mieux à faire.

Ainsi, dans le cercle tout de même pas énorme à l'intérieur duquel de telles histoires pouvaient courir, il commença petit à petit à s'en diffuser deux ou trois qui semblaient passablement vraisemblables.

La quatrième ou la cinquième fois que Michel en entendit parler, ce fut sur les quatre heures et quelque du matin, dans une gargote où il n'avait pas tellement l'habitude de s'arrêter même si elle était tout près de chez lui, à moins qu'il n'y ait vraiment plus rien d'ouvert. Une fois entré il examina les lieux pour trouver une place où s'asseoir. Il allait y renoncer et repartir quand deux bras se levèrent en même temps d'une table au fond. Il s'y fraya un chemin, non sans devoir d'abord s'arracher gentiment d'autour du cou une grosse femme au décolleté inquiétant qui voulait le faire danser, et après avoir salué trois ou quatre représentants guillerets du troisième âge, qu'il ne connaissait pas et dont le plus grand désir semblait être qu'il s'asseye et boive un coup avec eux.

À la table il y avait les deux jumelles et le Duc. Le Duc, avec ses cheveux blancs encore épais dont une mèche lui retombait sur le front, buvait, le regard empreint d'une béatitude absente. Il portait un foulard blanc comme toujours, lâchement noué autour d'un cou ridé qui trahissait son âge.

Il n'y avait que dans ce milieu qu'il pouvait paraître encore blanc.

Les jumelles étaient assises près de lui et le couvaient des yeux, jouant distraitement avec une bière qui devait leur durer depuis le début de la soirée. Pourquoi elles s'étaient entichées de lui, personne ne le savait. Elles l'écoutaient, même s'il ne parlait pas beaucoup, lui achetaient parfois un verre si vraiment il ne pouvait plus s'en permettre un, et le raccompagnaient parfois au petit matin chez lui, dans une mansarde pas loin, quand il n'arrivait plus à rentrer tout seul. Elles parlaient de lui avec admiration en disant qu'il venait vraiment d'une vieille famille, que c'était pas pour rire qu'on l'appelait comme on l'appelait, et que c'était un type instruit.

Un peu plus tard, le Duc mourrait, un soir où elles n'étaient pas avec lui, d'un arrêt cardiaque, à la surprise générale, et pas d'une cirrhose. Puis encore un peu plus tard elles tomberaient les deux enceintes, c'était trop compliqué de savoir de qui ni comment, et elles disparaîtraient et c'était tout.

Ils échangèrent quelques propos. Il commanda à boire. La serveuse, qui pouvait être sa mère, l'appela « chéri » et lui caressa la joue, renversant une bonne partie de la boisson. Ils devaient crier pour s'entendre au-dessus du bruit, des chants surtout, parce qu'il y avait toujours quelqu'un qui se mettait à chanter et qui trouvait tout de suite une demi-douzaine de poivrots de bonne volonté disposés à croire que c'était là leur chanson à eux, qu'ils avaient attendue toute la nuit, et à se lancer dans un chœur qui aurait fait trembler bien d'autres murs. Mais ils pouvaient crier tant qu'ils voulaient, puisque personne n'écoutait personne d'autre.

— Il est chez Claudia. On le sait pour sûr.

— Mais c'est qui ?

— On ne sait pas. On sait qu'il a passé la frontière. On dit qu'il est en train de réunir des gens. C'est tout.

Elles avaient l'air de demander : « Qu'est-ce qu'il te faut encore ? »

Il ne dit rien, mais son expression ne trompait pas.

— Non, sérieux, dit l'une des deux – il ne savait jamais laquelle –, c'est pas de la blague.

— Ici ?...

— Pourquoi pas ici ? On ne sait jamais. Il a dû se barrer, probable. Après une action. Il se tasse. Mais sérieux ! Ils sont en train de contacter du monde.

Il resta encore pour une tournée puis les quitta, comme de toute façon il devait se lever à sept heures et demi pour aller travailler. Et puis il s'était rappelé pourquoi il n'aimait pas ce bistro. C'était à te donner envie d'arrêter de boire. Heureusement qu'il ne le fréquentait pas régulièrement.

Après avoir entendu ça, il eut tout de même envie d'aller voir. Surtout parce qu'on lui avait dit que le mec était chez Claudia. Ce n'est pas qu'il y ait jamais vraiment eu quelque chose entre Claudia et lui. Ils avaient passé une fois toute une nuit à discuter, mais au bout de la nuit personne n'avait fait le premier geste, ils n'avaient peut-être pas assez bu ni l'un ni l'autre et il ne s'était rien passé. Ils se voyaient encore assez régulièrement, sans se chercher, et quand ils se retrouvaient ils se regardaient avec l'air de se dire qu'il pourrait encore se passer quelque chose si les circonstances s'y prêtaient. Faudrait voir. Entretemps, toutefois, il pensa qu'il valait mieux se rendre compte en personne.

Claudia vivait dans un bel appartement aux plafonds hauts qu'elle ne payait pas cher parce qu'il n'était pas à son nom et que l'ancien locataire y était resté longtemps. Elle avait failli ne pas le garder. Elle disait que les premiers temps, il la rendait triste. Il lui arrivait de passer de longs moments à la fenêtre de la cuisine, à regarder la rue et les fils du bus tendus comme les restes d'une toile d'araignée défaite, à penser que la vie ne valait pas la peine d'être vécue. Puis elle avait découvert qu'une fois, il y a très longtemps, une femme s'était jetée de cette fenêtre et s'était écrasée sur la chaussée en bas. Alors elle avait poussé une table tout contre, avec des plantes dans des pots, et elle faisait gaffe de ne pas s'arrêter devant si ce n'est pour les arroser. Depuis lors, ça allait mieux.

Claudia vint lui ouvrir. Elle portait une vieille veste de chambre d'homme, trop grande, qu'il lui avait déjà connue et qu'elle devait retenir d'une main. Elle ne fut pas surprise de le voir et lui dit d'aller à la cuisine. Il prépara le café pendant qu'elle faisait ce qu'elle avait à faire. Comme chaque fois, il alla jeter un œil par la fenêtre. Mais la vie lui paraissait la même que d'habitude.

Quand le café fut prêt elle le rejoignit. Il l'entendit

d'abord qui renvoyait quelqu'un. Lui aurait aimé rester mais son ton à elle indiquait clairement que l'heure était venue de ficher le camp. Il n'insista pas trop.

Elle vint se mettre à la table du côté de la fenêtre, dans la lumière du soleil du matin, secouant la tête de l'air de quelqu'un qui ne comprend vraiment pas pourquoi il faut faire tant d'effort parfois pour expliquer des choses simples. Michel servit le café et ils le burent sans parler, parce qu'il y a des moments où le silence fait du bien et qu'il n'en fait jamais autant que quand il y a deux personnes en même temps qui en ont besoin.

Après ils discutèrent de choses sans importance. Puis restèrent de nouveau silencieux. Puis ils recommencèrent. Pour finir, il lui confia ce qu'il avait entendu dire par d'autres. Elle hocha simplement la tête et indiqua d'un geste le salon. Il comprit qu'il était là et pour le moment cela lui suffit. Il lui fit la bise et s'en fut. Elle lui sourit en fermant la porte.

S'étant assuré qu'il ne s'agissait pas uniquement de racontars, il choisit d'attendre. Ou plutôt, il ne choisit même pas. Il se mit à attendre. S'il devait arriver quoi que ce soit, ça arriverait. Entretemps, ce n'étaient pas les choses à faire qui manquaient. Lui, il était facile à trouver. Tout le monde savait dans quels endroits on pouvait le croiser. Si quelqu'un voulait lui parler ce ne serait pas difficile de lui mettre la main dessus.

Les jours passèrent. Rien n'avait changé, sauf qu'on pouvait avoir parfois l'impression que peut-être il se passait des choses et que certaines personnes étaient peut-être au courant, et que d'autres peut-être pas.

Ou que tout le monde savait quelque chose mais personne ne savait tout. Et que de toute manière ce n'était pas le genre de choses qu'on criait sur les toits. Fallait juste attendre. Parfois c'est facile. Parfois moins.

Pendant un bout de temps, Michel resta dans l'appartement d'un copain qui avait dû s'en aller pendant deux semaines et quelques. Il attendait de la visite, un gars qui devait amener des trucs, et il vaudrait mieux qu'il y ait quelqu'un à la maison. La visite arriva, mais ce n'était pas celle qu'on prévoyait. Un mec allumé lui raconta des histoires invraisemblables en insistant qu'il lui donne tout de suite l'argent qu'il était venu chercher et qu'on lui devait. Il fallut longtemps à Michel pour le faire sortir en lui parlant doucement, en l'amadouant, en le rassurant. Pour les huit jours qu'il était encore convenu qu'il reste là il dormit avec une clé anglaise sous l'oreiller juste au cas où. Ça n'aide pas particulièrement à faire de beaux rêves.

La première fois qu'il rencontra le bonhomme, ce fut dans la rue, de la manière la plus imprévisible qui soit : il se promenait avec Claudia. Pas bras dessus bras dessous, juste ensemble. C'était au centre-ville. Ils s'arrêtèrent. Claudia les présenta. Quand

elle eut fait son nom, il vit le regard du type qui s'illuminait. Il lui sourit, lui serra la main. Une bonne poignée de main solide, qui dura un moment. Michel en profita pour l'examiner. Ce n'était pas quelqu'un de particulièrement baraqué, mais il paraissait solide. Il avait les cheveux noirs et longs qui lui descendaient jusqu'à toucher les épaules. Une bonne gueule, sympathique, mais pas vraiment jeune premier malgré tout, avec un nez du genre qui ne s'ignore pas et deux traits profonds qui partaient des narines et encerclaient une bouche aux lèvres sensuelles sans être épaisses.

Michel continua d'attendre, sans vraiment attendre. Il fallait quand même travailler, mener sa vie de tous les jours, ne pas attirer l'attention. Ne pas attirer l'attention ! Cela lui donnait envie de rigoler. Ce n'était pas lui qui attirerait l'attention ! Même s'il essayait de le faire exprès. Le monde était bien trop occupé pour s'occuper de lui. Et lui aussi, au fond, il était bien trop pris pour s'occuper du monde. Sauf que quand il s'offrait une pause, il lisait le journal appuyé au zinc du bistrot et il voyait que ça allait de plus en plus mal un peu partout – ou alors de mieux en mieux, cela dépendait des points de vue. Et surtout, il comprenait que si on voulait s'y mettre et commencer quelque chose, ce serait bientôt le moment si ce ne l'était pas déjà. Seulement pour s'y mettre, il fallait être à plusieurs et ça ne s'improvisait pas.

Le fait est qu'il aurait bien aimé essayer de brusquer les choses, se présenter chez Claudia, parler au mec, lui demander ce qu'il entendait faire et lui faire savoir que lui aussi, il n'attendait que ça. Mais quelque chose le retenait. De la fierté, peut-être. Il ne voulait pas être celui qui se présenterait le chapeau à la main, l'air de quémander. Il y avait son caractère qui garantissait pour lui. Sa réputation. Cela aurait dû suffire.

Entretemps il continuait de s'occuper comme il l'avait toujours fait, ce qui incluait la participation occasionnelle à quelques manifs, organisées la plupart du temps par les syndicats ou par la gauche institutionnelle, mais qu'il jugeait au cas par cas selon sa conscience. Quand c'était juste d'y aller, c'était juste d'y aller, même si ce n'était pas ça qui aurait sapé les fondements de l'oppression. Le désavantage était qu'on savait pertinemment que tous les participants finiraient par être fichés par la police. Le long du parcours, si on regardait bien, on arrivait toujours à voir quelque part des gens sur un toit avec des caméras télescopiques. Bien sûr le fichage n'était pas légal, alors que les manifestations, elles, l'étaient. Mais cela aurait été complètement inutile de s'en plaindre, d'abord parce que les flics nieraient que ça avait lieu, et ensuite parce que cela ne ferait qu'attirer encore plus l'attention sur soi. Alors il essayait de relever son foulard sur son nez sans trop donner l'impression de vouloir se masquer, et de relever le col de son blouson par-dessus, mais ne se faisait pas de bien grandes illusions sur l'efficacité de la méthode. C'était juste pour le principe.

Le copain gardien de nuit vint le chercher pour lui proposer encore quelques affaires. Cette fois-ci, il devait surveiller un salon de l'auto, il y avait des infinités de stands, des centaines de participants. Dans la confusion, personne n'aurait trop de soupçons s'il disparaissait un petit truc ici, un petit truc là. Il suffisait de bien choisir et de ne pas être trop gourmand. Il fit quelques allers-retours, quatre ou cinq fois, principalement avec des gadgets électroniques, deux machines à écrire, des calculatrices. L'embêtant était que tout ça empiétait passablement sur son temps de sommeil et que même s'il ne lui en fallait pas beaucoup, il ne pouvait tout de même pas continuer longtemps à travailler dans la journée et à faire des heures supplémentaires la nuit. C'était fatigant. Et quand il était fatigué il devenait irascible.

Les nouvelles de l'étranger auraient pu faire croire qu'il se préparait de grands événements. Ça bougeait de partout. Le pouvoir tremblait sur ses bases et il devenait de plus en plus évident, même aux bons bourgeois les plus myopes, qu'il se maintenait d'abord et avant tout grâce à la police et à l'armée. L'armée qu'on commençait à voir dans les rues. La répression jetait le masque. L'hypocrisie des discours officiels se faisait transparente. Ils ne pourraient pas continuer encore bien longtemps à cacher la schizophrénie constitutive qui leur permettait de se présenter comme les chantres et les paladins de la liberté, et en même temps de la fouler aux pieds et d'emprisonner ceux qui l'exigeaient. Chaque nouvelle photo dans les quotidiens qui montrait des phalanges de policiers devant les palais du pouvoir, chaque service à la télévision qui révélait les préparatifs dans les casernes et faisait entendre le grondement des moteurs des transporteurs de troupes et des tanks prêts à envahir les rues, la révolution paraissait plus proche. Un peu partout. Sauf ici.

Le type qui était terré chez Claudia, pour finir, semblait se terrer de moins en moins. On l'avait vu dans des boîtes de nuit, dans les bars habituels que fréquentaient les camarades et dans bien d'autres encore.

— Et il fait quoi ? lui demanda un soir le copain garde de nuit.

Il hésita un instant avant de répondre. L'air martial

de son ami, acquis sans doute par osmose à force de porter l'uniforme, arrivait encore parfois à le dérouter un peu, même quand il le fréquentait en dehors de ses heures de travail. Il lui donnait, chaque fois qu'il lui parlait, l'impression gênante d'être un indicateur.

— Ce qu'il fait ? Ce qu'on fait dans des boîtes de nuit et dans des bars. Il danse et il boit.

— Rien d'autre ?

— Rien qui soit évident.

— Alors c'est qu'il cache bien son jeu.

Ce n'était pas là seulement l'opinion de l'ami. En fait, elle était assez largement partagée. Si on ne savait rien de certain, si nulle voix précise, nulle information qu'il fût possible de confirmer ne se répandait, c'était sans doute que l'homme faisait preuve de la plus grande circonspection. Impossible de lui en faire reproche, d'ailleurs. Mais quelqu'un devait savoir, et Michel finit par se rendre compte que s'il aurait, lui-même, bien aimé découvrir ce qui se tramait, d'autres étaient naturellement persuadés du fait qu'il était déjà au courant. Cela leur paraissait naturel. Si quelqu'un devait être contacté, s'il fallait choisir une personne de confiance, motivée et capable, disposée à tout, ce serait forcément lui. Ainsi il fut bien obligé de se faire petit à petit à l'idée qu'on le considérait déjà différemment. Quand il entrait dans un local, les yeux se tournaient vers lui, le détaillaient, puis le quittaient avec discrétion, comme si on ne voulait pas le déranger, pas le distraire des taches secrètes et importantes qui devaient sans doute constituer ses préoccupations majeures, chaque jour et à toute heure du jour et de la nuit.

Claudia n'aidait en rien à en savoir plus. Fatigué d'attendre, il lui avait carrément demandé, un jour où il l'avait trouvée qui se reposait au soleil sur un banc des jardins publics, les mains posées à plat sur ses cuisses avec une rigidité statuaire, ce qu'il en était avec son hôte. Elle l'avait fixé de ses yeux qui la faisaient sembler tellement plus âgée et tellement plus sage que n'importe qui qu'il ait jamais connu, et avait secoué légèrement la tête comme on le fait avec un enfant qui pose une question inconvenante, à laquelle on ne peut même faire mine de vouloir répondre. Il n'avait plus osé aborder la question avec elle.

L'hôte, quant à lui, se promenait maintenant en ville ouvertement. On le voyait partout, au cinéma, dans les musées, sur les terrasses des cafés, aux tables des boulangeries, dans les salons de billard. Tout le monde le connaissait, ou voulait le connaître, ou faisait semblant de le connaître. On lui payait des pots et lui, il remerciait à peine, comme si c'était chose due, avec son accent étranger, chantant, qui semblait devenir plus marqué quand il parlait à une jolie fille. Il avait un sourire, que Michel ne pouvait s'empêcher de trouver légèrement provocateur, éternellement estampillé au coin des lèvres, et promenait sur les choses et sur les gens un regard de propriétaire. Voyant que sa stratégie de temporisation ne donnait pas fruit et pensant l'acculer à des confidences, Michel s'était décidé à lui offrir quelques verres, s'efforçant de faire tourner la conversation du côté qui l'intéressait, mais les yeux brillants de son interlocuteur se voilaient dès que le sujet touchait trop explicitement à la situation insurrectionnelle des pays voisins, et du sien en particulier. Toujours plus frustré, Michel essaya à plusieurs reprises de lui tirer les vers du nez, mais sans le moindre succès. En revanche, le fait d'être vu en sa compagnie en train d'échanger des confidences à voix basse eut pour effet de renforcer encore plus les bruits qui circulaient à son sujet, qui s'affermissaient et se répandaient davantage chaque fois qu'il tentait de les démentir.

La situation continua sans beaucoup de changements encore jusque vers la fin de l'été. Il ne passait pas de jour sans que les médias ne se fassent l'écho des coups de force tentés par les mouvements révolutionnaires de l'autre côté de la frontière. Enlèvements de personnalités politiques, attaques audacieuses contre les forces de l'ordre, guet-apens parfaitement organisés dont étaient victimes les représentants de la réaction... Un commando s'était même emparé d'un train de banlieue, distribuant tracts et propagande aux passagers. Et un autre groupe armé avait occupé pendant plusieurs heures le bâtiment principal d'une université très connue, tenant aux étudiants ébahis une leçon d'histoire et de sociologie susceptible de décrasser une bonne fois pour toutes leurs cervelles des versions domestiquées que leur débitaient leurs professeurs, serfs du capital. Après quoi ils étaient repartis tranquillement par la porte principale, sans que personne ne les dérange et sous les flashs des caméras. Des manifestations remplissaient les rues des grandes villes, chaque semaine, de centaines et de milliers de sympathisants, toujours plus confiants. Les visages se montraient de plus en plus ouvertement, et rien que cela indiquait clairement quelle était l'ambiance régnante et à quels événements on s'attendait dans un avenir désormais très proche.

Puis d'un jour à l'autre, l'hôte de Claudia disparut. À la question que Michel lui posa à ce sujet, celle-ci se limita à faire une moue et à laisser entendre que chez elle, ce n'était tout de même ni l'Armée du Salut ni une auberge de jeunesse pour attardés. Un peu ça va, donnait-elle l'impression de vouloir dire, mais il ne faut pas pousser.

Le départ du mystérieux visiteur fut interprété par beaucoup comme un signe de plus qu'il allait incessamment se produire quelque chose. S'il s'en était allé, avait-on conclu, c'était sans doute qu'il avait terminé de faire ce qu'il était venu faire. Que la mission était accomplie. Par conséquent, il n'aurait pas fallu se montrer trop surpris si tout à coup il venait à se produire quelque événement fracassant qui ferait vaciller la société sur ses piliers délabrés. Cela faisait déjà assez longtemps qu'on l'attendait.

Michel commença à remarquer que les têtes se tournaient brusquement chaque fois qu'il se montrait dans un local public. C'était comme si les gens étaient surpris de le voir encore là. L'étranger était bien parti. Alors, lui, semblaient-ils dire en le dévisageant avec des expressions étonnées, que faisait-il encore en circulation comme si de rien n'était ? N'aurait-il pas dû être entré en clandestinité ? N'aurait-on pas dû avoir de ses nouvelles à travers les manchettes des journaux, au lieu de le voir boire des pots au zinc, l'air légèrement embêté d'être le point de mire d'autant de regards ? Qu'est-ce qu'il attendait ? Il y avait quelque chose qui n'allait pas ?

Puis tout à coup le vent se mit à tourner.

Le pouvoir, qui avait paru ébranlé, incapable de réagir, sonné comme un vieux boxeur sur le retour, se secoua et parvint à placer une série de coups qui laissèrent des traces. Cela sembla se passer en même temps partout. Des dirigeants révolutionnaires furent arrêtés, tués dans des fusillades, ou moururent en prison de manière mystérieuse, mais seulement pour la presse bourgeoise. Les manifestations qui avaient eu une tonalité triomphale changèrent soudainement. Michel se retrouva au milieu d'un groupe de pas plus d'une centaine de personnes qui marchaient lentement, le dos voûté, sifflant tous ensemble les notes tristes de la ballade de Sacco et Vanzetti, le jour où on apprit le prétendu suicide à Stammheim de Baader et consorts. Ils tentaient de distribuer des tracts que les gens refusaient. Les foulards étaient remontés jusqu'à la racine du nez et les casquettes et les lunettes noires cachaient les regards. À la fin de la manif tout le monde s'égailla rapidement dans les rues du centre, tentant de se mélanger à la foule des consommateurs et des touristes massés devant les magasins, surpris qu'il n'y ait pas eu de rafle. Mais des rafles, il y en avait ailleurs, un peu partout, et des massives. Plus personne, maintenant, ne se laissait aller à prévoir la fin imminente de quoi que ce soit, surtout pas de la société pourrie.

Michel ne sortait plus autant. Ce n'est pas qu'on lui reprochât quoi que ce soit, mais il sentait à son égard une certaine froideur, une réticence. Maintenant qu'il était devenu évident que rien ne se passerait, que les espoirs étaient déçus, c'était comme si les gens avaient préféré l'éviter. Quelques-uns se laissèrent aller jusqu'à suggérer à demi-mot que si les choses en étaient arrivées là c'était aussi par la faute des dégonflés, des embusqués, de ceux qui avaient des responsabilités et ne s'étaient pas montrés à la hauteur. Ils n'osaient tout de même pas sortir ce type d'affirmation ouvertement devant lui, mais il savait qu'on pouvait entendre des raisonnements de cet ordre quand il prenait l'envie aux gens de se déboutonner, et cela lui refilait des aigreurs d'estomac.

Claudia fut gentille envers lui, compréhensive, et n'hésita pas à se montrer en sa compagnie, comme si sa présence garantissait pour lui. Ils n'avaient toujours pas poussé leur rapport au-delà de quelque bise appuyée, mais il se rendait compte qu'il lui suffirait maintenant d'insister un peu et il n'aurait pas beaucoup de difficulté à obtenir ce qu'il avait désiré. Le fait était toutefois qu'il ne savait plus s'il en avait envie.

Le copain gardien de nuit, qui estimait que les idéaux, c'était bien beau, mais qu'il n'y avait pas que ça dans la vie, se débrouilla pour le tenir assez occupé pour ne pas lui laisser le temps de trop déprimer. Il s'était fait affecter à la surveillance d'une usine pharmaceutique qui avait dû fermer à la suite d'un accident. Il faudrait deux semaines au moins pour qu'ils mènent à bien tous les nettoyages indispensables pour que les lieux redeviennent utilisables, sans danger pour les employés. Entretemps, c'était la confusion totale dans les locaux et ils n'avaient littéralement qu'à se servir. Ils purent vider chaque nuit des sacs bourrés de quantités de pilules qui se revendraient sans doute pour un bon prix.

Michel se consolait en se disant que c'était de bonne guerre. C'était de la reprise individuelle, entièrement légitime. Ça, au moins, il savait faire. Pour quelque chose de plus important, apparemment, il lui faudrait encore attendre.

Le libérateur[1]

Depuis l'énorme hublot arrière de l'astronef, qu'une armature métallique divisait en sections carrées dont chacune était aussi grande que l'eût été une pièce dans une maison ordinaire, les trois amis admiraient le spectacle grandiose de la planète qui s'éloignait. Ils étaient émus. Dale essuyait discrètement du dos de la main une larme qui avait laissé une longue trace brillante sur sa joue d'un incarnat idéal, pendant qu'elle s'appuyait de son autre bras à l'épaule puissante de son compagnon, dont le regard d'acier paraissait légèrement voilé et mélancolique. Le docteur observait comme eux le vaste orbe de la planète qu'ils avaient fini par connaître si bien, tout en vérifiant d'une main absente que les instruments du panneau de contrôle étaient correctement ajustés pour que la fusée ne quitte pas la trajectoire qui devait les ramener, enfin, après tant de temps et une si longue absence, jusque chez eux. Chez

---

[1] Avec ma gratitude et mes excuses à Alex Raymond, Ulrike Meinhof, Andreas Baader et Gudrun Ennslin.

eux, sur cette Terre qu'ils avaient quittée un jour sans savoir s'ils la reverraient jamais, cherchant désespérément à la protéger d'un globe incontrôlé, d'un monde errant qui allait en croiser l'orbite. Tant de choses à peine croyables s'étaient passées depuis.

Partout sur le cercle sombre de la planète, des pôles couverts de glace pérenne jusqu'à la ceinture volcanique qui en marquait l'équateur, on pouvait voir éclater les feux d'artifice. Partout, on fêtait la fin de longues années de guerres intestines, de soulèvements, de révoltes maintes fois noyées dans le sang par les sectateurs impitoyables d'un tyran, d'affrontements fratricides, de combats libérateurs.

Le docteur posa lui aussi sa main aux doigts velus sur l'épaule de son compagnon de tant de luttes. Celui-ci demeurait immobile entre les deux, comme médusé devant l'étincellement de plus en plus lointain des feux qui marquaient le bonheur des peuples, divers et multicolores, de celle qu'il avait fini par considérer comme sa planète adoptive. Sa carrure athlétique, qui lui avait permis de résister à tant d'épreuves, d'affronter avec succès les pièges les plus cruels et inattendus dont la malignité de ses adversaires avait parsemé son chemin, était intacte. Mais une certaine rigidité dans ses muscles rappelait à ses compagnons la fois où les rayons de la machine à pétrifier du docteur Zoga avaient failli le transformer en une masse de marbre bleuâtre.

— Et dire, soupira le docteur en lui tapotant le bras d'un air presque paternel, que tu as refusé la moitié d'un royaume ! Tu te souviens, lorsque nous avons remis la reine Desira sur le trône de Tropica après avoir battu l'usurpateur Brazor, et qu'elle a épousé ce vieux brigand de Gundar. Ils auraient été ravis que tu partages avec eux le pouvoir sur leurs vastes territoires, libérés grâce à nous de l'oppression. Rétrospectivement, ce n'était pas une si mauvaise idée que ça...

— Cela me rappelle, évoqua Dale d'une voix qui semblait venir de très loin, comment nous avons failli devenir les souverains de Marvela, si ce n'est – et elle laissa échapper un petit gloussement entre l'amusé et le gêné – que nous aurions été, toi l'époux de la reine, moi l'épouse du roi, que l'on croyait frère et sœur...

— ...et qui ne l'étaient pas, conclut le docteur en faisant écho au rire un peu hésitant qui avait marqué la fin des paroles de la jeune fille. Ils n'ont pas été mécontents de l'apprendre, après que vous avez déjoué les pièges qu'ils vous tendaient à l'aide de leurs pilules hypnotiques. Sans cela, c'est vous qui vous seriez retrouvés sur le trône, en corégents. Mais enfin, il faut dire qu'on s'attendait de leur union qu'elle apporte bien-être et stabilité au royaume...

— Eh oui, la paix, le calme... reprit la jeune fille en remettant à sa place d'un geste rapide et délicat une longue boucle de ses beaux cheveux noirs qui était retombée sur son front, clair comme l'ivoire. Le calme, la paix, c'est aussi ce que nous avons laissé en héritage au royaume de Frigia, une fois que nous avons pu quitter ses déserts de glace et la passion – trop brûlante, elle – qu'éprouvait la reine Fria à ton égard. J'ai dû me battre pour te garder, tout comme tu t'es battu contre les hordes souterraines du géant barbare Brukka. Et nous avons laissé la maîtresse de ces landes glacées dans les bras amoureux du comte Ronal, qui, seul – nous en étions sûrs – aurait pu lui faire oublier sa néfaste passion et faire son bonheur à elle et celui de son peuple.

— Sans parler de la fois, ajouta le docteur – en ébouriffant d'un geste nerveux de la main sa barbe, longue et drue dans laquelle venaient se mêler quelques fils d'argent –, où tu as conquis le royaume de Kira. Tu en es devenu le roi légitime après avoir éliminé l'usurpateur Tahl, qui avait voulu arracher le trône à la reine-sorcière Azura...

— Oui, mais il ne l'est pas resté, termina la jeune fille en laissant de nouveau entendre son petit rire cristallin, qui finit sur une note un peu fêlée. Et pas non plus la fois où tu as sauvé le royaume sous-marin de Coralia, guidant ses armées contre les forces de l'empereur et poussant dans les bras l'un de l'autre la reine Undina et le prince Triton. Leur union, évidemment, était censée cimenter la sécurité de leur peuple des profondeurs...

— Mais nous ne devons pas oublier, affirma le docteur d'un ton dans lequel perçait malgré tout une fierté bien compréhensible, le jour qui a été le plus beau : celui de la défaite du cruel empereur qui écrasait depuis toujours sous son talon de fer les libertés de tous les habitants de la planète. C'est nous qui l'avons déboulonné de son trône et réduit à l'impuissance. Je me rappelle encore comme si c'était hier le moment où tu as annoncé sur les ondes de la radio, à l'échelle planétaire, la déchéance du tyran et la création de la nouvelle République unie de Mongo. La première république de l'histoire de la planète, avec rien que des gens bien comme membres du Grand Conseil Constitutionnel : non seulement la reine Fria et son nouveau mari, le prince Ronal, mais également le prince Barin, héritier légitime au trône de Mongo et souverain d'Arboria, ainsi que sa conjointe, la belle Aura, fille du tyran déposé. Et notre Guy comme président ! On n'en voit pas tous les jours, des républiques qui naissent sous de pareils auspices !

Le libérateur lui-même poursuivit le discours, parlant comme dans un rêve, pendant que son corps, qui était resté jusque là immobile comme une statue, était secoué d'un léger tremblement :

— Et je me souviens encore, dit-il de cette voix claire et profonde que des millions d'oreilles avaient écoutée sur les ondes de la radio en ce jour fatidique qui paraissait déjà si lointain, des mots mêmes de l'annonce de la création de la République de Mongo, « fondée sur les principes de la liberté et de la justice pour tous !... » Liberté garantie par la sagesse et l'expérience de ses gouvernants, réunis pour le plus grand bien de tous leurs peuples.

Les explosions de liesse continuaient d'émailler la surface de Mongo de mille et mille éclats, que le trio inséparable observait, les yeux vagues. Puis, soudain, un astre de lumière fit éclosion à peu de distance de leur fusée, faisant trembler sous leurs pieds le plancher de la salle des commandes et les obligeant de s'accrocher les uns aux autres et au mobilier fixe de la pièce pour ne pas tomber les quatre fers en l'air.

— Vite, s'exclama le docteur, augmentons la vitesse ! Ils n'ont pas encore abandonné la poursuite !

Guy se précipita sur un panneau, abaissa un levier

et tourna avec précipitation divers boutons placés en-dessous d'écrans clignotants, ses deux jambes grandes ouvertes, plantées telles des colonnes pour ne pas perdre l'équilibre pendant que le vaisseau tout entier tremblait comme une feuille dans le vent. Dale, tombée à genoux derrière lui, les plis de sa jupe s'ouvrant autour d'elle ainsi qu'une corolle, tendait vers la figure herculéenne de son ami ses mains jointes comme en prière. D'autres explosions laissèrent de fugaces sphères de lumière dans le sillon de l'astronef, toujours plus petites au fur et à mesure que le formidable engin développait toute sa puissance, accélérant sans cesse.

— Les traîtres ! Les ingrats ! pesta le docteur en levant vers le quadrillage de verre et d'acier qui les séparait de l'espace un poing rageur. Après tout ce que nous avons fait pour eux !

Comme en réponse à son cri du cœur, l'écran central de la console murale s'alluma de lui-même et des séries de lettres brillantes apparurent l'une après l'autre, ligne après ligne, en une rafale de mots qui l'emplit rapidement du haut en bas. À cette distance, l'audio ne leur parvenait déjà plus que comme un chuchotement surexcité.

« L'insurrection populaire n'est pas justiciable, parce que l'État de l'Aristocratie et du Capital, en tant qu'il est le côté réactionnaire de la contradiction, est obligé de nous poursuivre, nous, le peuple, d'une manière exemplaire, étant donné le développement de la crise sociale, en tant que nous représentons la *possibilité* et l'*actualité* d'un développement révolutionnaire. »

— Mais qu'est-ce qu'ils déblatèrent ? s'indigna le docteur. Il me semble que c'est plutôt nous qu'ils poursuivent !

— C'est de la rationalisation bon marché, affirma Guy, du dégoût dans la voix, tout en vérifiant une série de cadrans. Ils s'érigent en victimes pour mieux justifier leur violence.

— Oh, Guy ! Qu'en sera-t-il de nous ? demanda Dale d'un ton qui ne pouvait masquer son anxiété, en tordant ses mains blanches aux doigts fins et allongés.

Mais avant que le pilote, encore occupé à vérifier les instruments de bord, puisse fournir une réponse, le texte sur l'écran s'évanouit et fut instantanément remplacé par d'autres déclarations :

« La liberté, sur Mongo, n'a jamais été la liberté par rapport à l'État. Elle n'a jamais été, en tant qu'idéologie antipopulaire, qu'un postulat à des fins de propagande sans réalité politique. La démocratie planétaire a été d'autant plus durablement et profondément attachée à son discours officiel, qu'elle ne correspondait à rien dans la sphère politique. »

— Mais de quel discours est-ce qu'ils parlent ? ne put s'empêcher d'éructer Guy, visiblement offensé. Comme si je m'étais amusé à tenir des discours ! On n'a pas le temps de faire des discours quand on se bat à mains nues contre un constrictosaure !

— Et dire que ces divagations s'imposent maintenant partout dans l'esprit des masses incultes, se plaignit le savant en enfonçant les doigts de ses deux mains dans sa barbe épaisse, qu'il semblait presque vouloir s'arracher de frustration.

Les déclarations se suivaient maintenant avec une

régularité de métronome sur l'écran principal de l'astronef :

« La résistance, c'est la continuité dans l'histoire de l'opposition intérieure à l'Empire de Ming depuis le croisement avec la planète Terre, depuis l'opposition contre la restauration, contre l'intégration forcée des royaumes, contre les lois d'urgence, jusqu'à la lutte armée de la guérilla urbaine contre l'État impérialiste. »

— Mais c'était nous, la résistance ! s'indigna Guy en levant un poing tendu vers l'infinité de l'espace, comme s'il prenait les lumières innombrables des étoiles à témoin. La guérilla urbaine, dans les ruelles, les bazars et les souterrains de la capitale, c'est nous qui l'avons entreprise et finalement menée à bien !

— Ils tentent de s'envelopper dans le manteau de la légitimité, susurra presque Zarkov, comme s'il s'était tout à coup vidé de la rage qui le secouait, perdant toute énergie. Ils se présentent en héritiers légitimes, en continuateurs de notre action. D'autant plus légitimes qu'ils auraient mieux compris que nous-mêmes ses fondements...

— Qu'allons-nous faire, Guy ? murmura Dale sur un ton empreint d'un profond découragement, levant ses yeux voilés de larmes sur la figure aux mâchoires contractées de son ami.

Une nouvelle déclaration apparut sur l'écran, mais les lettres semblaient perdre de leur luminosité, s'estomper au fur et à mesure qu'elles se présentaient à la vue. Le son s'était déjà éteint :

« Le consensus société-État n'est plus transmis par le *tertium comparationis* : les valeurs – c'est-à-dire les droits fondamentaux –, mais par leur succédané : la guerre psychologique comme déguisement, à des fins de propagande, de la politique de l'État fort, de sa stratégie institutionnelle qui a pour but d'étatiser la société, qui a pour contenu la guerre et qui utilise comme moyen la militarisation de la société. »

— S'ils se mettent à parler latin, tout est perdu, lâcha le docteur d'une voix où la fatigue avait laissé un sillon profond.

Guy sembla vouloir répliquer à ce qu'ils venaient de lire, mais tout comme le texte provenant de la planète maintenant lointaine ne parvenait plus à se matérialiser lisiblement devant leurs yeux, les mots semblaient ne plus pouvoir se former sur ses lèvres. Ses camarades crurent l'entendre ânonner : « pour contenu... la guerre... » à deux ou trois reprises. Puis il se secoua, comme quelqu'un qui sort d'une eau profonde et aida Dale, toujours effondrée, à se remettre debout.

— Je présume que je pourrais retourner à la compétition sportive, hasarda-t-il d'un ton presque badin en adressant à sa compagne un regard un peu timide, qu'il aurait voulu encourageant. Le polo doit sans doute encore attirer les foules. Il y a là de quoi gagner convenablement sa vie pour un ancien champion disposé à reprendre du service, qui doit avoir encore quelques admirateurs...

— Dire que je n'ai pas eu le temps de prendre avec moi une seule des robes que je portais à la cour de Desira, ni le plus petit diadème, même pas un misérable bijou... se lamenta Dale à mi-voix tout en époussetant d'un geste machinal son pull rouge et sa jupe blanche du revers de la main.

Mongo n'était désormais plus qu'une pointe d'aiguille de lumière pâlissante au fin fond de l'univers, pendant que la fusée fonçait à une vitesse indescriptible au milieu du noir absolu du vide. Ils laissèrent ensemble d'un même mouvement la salle des commandes pour traverser tout le navire et parvenir à son autre extrémité, où une pièce en tout identique à celle qu'ils venaient de quitter leur permettait d'admirer le cercle grandissant du globe terrestre, vers lequel ils semblaient se précipiter.

— Nous avons pour nous la conscience d'avoir agi dans le respect de nos principes, affirma Guy au bout d'un long silence, faisant de son mieux pour donner un ton solennel à des paroles qu'il avait dû longuement préparer pendant toute la traversée du vaisseau. Il s'était tourné vers ses compagnons, qui paraissaient magnétisés par le cercle bleu qui s'élargissait en face d'eux. Ni l'un ni l'autre ne répondirent. Les mains de Dale chiffonnaient maintenant avec acharnement sa jupe de coton blanc de facture banalement terrienne, qu'elle fixait avec une mine dégoûtée.

Pendant tout le reste du voyage, Guy ne parvint pas à faire en sorte que leurs regards se croisent.

Le héros[1]

Sur l'affiche, lui il aurait bien aimé qu'il y ait aussi quelque illustration, un beau dessin, un truc classique comme par exemple un guérilléro qui brandit un fusil, le bras tendu en signe de victoire, ou une autre image quelconque du même ordre. Mais il n'y avait juste pas moyen parce qu'ils ne pouvaient pas se permettre autre chose qu'un petit format, qu'il y avait beaucoup de texte à insérer, et que par conséquent ils lui avaient dit non merci, c'était sympa d'y penser, mais il faut que ça puisse se lire facilement, même à distance et alors un dessin, vraiment, on ne va pas arriver à le faire rentrer. Alors il avait préparé une ébauche toute simple, inspirée par le drapeau. Tout le monde le connaissait le drapeau, tellement on le voyait chaque jour dans les journaux et à la télévision. Il se permit tout juste de jouer un peu avec les polices de caractères pour attirer l'attention des passants. Et puis, le grand avantage

[1] Adapté d'une nouvelle publiée dans le recueil *Ricordi altrui*, Cuneo, Nerosubianco, 2016.

d'utiliser le drapeau comme base était qu'il fallait une seule couleur, le rouge. L'étoile, on pouvait la laisser en blanc, et de toute façon, ils ne pouvaient pas se permettre plus d'une couleur. Rouge, noir et blanc, on peut dire ce qu'on veut, ça fait un beau contraste et ça se remarque. Il faut juste éviter de trop s'arrêter sur ceux qui, historiquement parlant, avaient utilisé cette combinaison chromatique avant, c'était tout. Personne ne s'était plaint. Plutôt le contraire !...

Il avait rencontré le représentant du gouvernement dans un bistrot de la vieille ville. On l'avait présenté et en entendant son nom, celui-ci avait hoché la tête avec l'air de quelqu'un qui a tout compris et avait dit : « Ah ! Italien ! Les Italiens sont de bons artistes. » Il n'y avait pas de quoi jouer au grand artiste avec un tout petit bout de feuille bourré de texte, mais tant qu'ils étaient satisfaits, tant mieux. Lui, il s'était borné à montrer l'ébauche et à la leur faire approuver. Après, il les avait écoutés pendant qu'ils mijotaient leurs plans pour la manifestation.

Le représentant du gouvernement écoutait en souriant, heureux et satisfait de voir autant de bonne volonté, autant de disponibilité. La solidarité internationale, décidément, il n'y avait rien de tel. Parfois il intervenait, mais juste un mot par-ci par-là, parce que les autres causaient entre eux en français et lui, il comprenait le français mais il le baragouinait à peine, avec un accent espagnol à couper au couteau. Il était le seul bien habillé du groupe, et en tant que tel il faisait un peu tache, mais c'était normal, parce qu'il avait besoin de fréquenter des milieux où tu ne te balades pas nécessairement du matin au soir en jeans et béret basque.

Maintenant qu'ils avaient accepté le projet, si cela n'avait relevé que de lui, il serait parti. Bien évidemment, il participerait à la manif, c'était clair, mais ce qu'il devait faire, il l'avait fait, et mis à part ça et parler à ses copains pour essayer de les convaincre à participer, il n'y avait pas grand-chose d'autre qui fut à sa portée. Mais ils lui avaient dit qu'après la réunion ils iraient dire bonjour au vétéran et alors il avait fini par rester.

Au bout du compte, la discussion avait pris plus de temps que prévu et l'envoyé du gouvernement avait dû les quitter pour aller rencontrer des envoyés d'autres gouvernements, et les deux autres mecs avaient aussi des piles de boulot à abattre, et le résultat avait été qu'il était resté tout seul, avec sa copine. C'était elle qui lui avait demandé de faire l'affiche. Elle lui aurait demandé d'en faire dix, il n'aurait pas su refuser. Et c'était également elle qui connaissait si bien le vétéran, parce qu'ils avaient été à l'école ensemble avant qu'il ne laisse tout tomber pour partir volontaire en Amérique centrale. C'était ce genre de type, elle lui avait dit. Un révolté instinctif. L'école n'était pas faite pour lui, la discipline, tout ce qui allait avec, il avait trop de peine à supporter. Alors il avait acheté un billet d'avion et il était parti s'engager volontaire, il s'était battu dans les forêts jusqu'au jour où il s'était retrouvé, le ventre ouvert sur toute sa largeur par un coup de baïonnette, avec les intestins qui sortaient de partout. Il avait dû se traîner pendant Dieu sait combien de kilomètres dans des marais infestés de moustiques, dans la jungle, retenant ses entrailles d'une main pour pas tout perdre, jusqu'à ce qu'il trouve un endroit où on pouvait le recoudre convenablement. Il s'en était tiré par miracle. Au bout d'une très longue convalescence, il était rentré au pays. Il avait fait sa part.

Elle lui avait raconté cette histoire tout en jouant avec le mince foulard noir, luisant de paillettes, qu'elle avait enroulé autour de son cou gracieux et qui faisait ressortir les quelques taches de rousseur qui éclaboussaient ses joues et son nez et lui prêtaient un air gavroche. Elle lui avait dit que le vétéran, ils pourraient lui rendre visite à eux deux, que de toute façon il travaillait juste à côté, ou presque, de là où ils avaient eu leur réunion. Les rues étaient bondées, surtout de touristes qui se promenaient le nez en l'air, admirant l'architecture des belles maisons anciennes de la vieille ville. Pas une table n'était vide aux terrasses des cafés de la petite place, baignée par les rayons tièdes d'un soleil de printemps précoce.

Une fois sortis du bistrot, ils prirent la première à droite et une dizaine de mètres plus loin, ils y étaient déjà. Ils entrèrent dans un boyau qui s'ouvrait à son extrémité sur un espace passablement vaste, vraisemblablement tiré de la cour intérieure d'une maison. Il y avait sur trois côtés de petits restaurants, genre fast-food – pas les chaînes les plus connues, mais des estaminets qui servaient de la bouffe bon marché pour les touristes peu friqués. L'amie promena un instant son regard sur les lieux et puis lui indiqua un blondinet pas trop costaud, avec un petit bonnet blanc planté sur des cheveux rebelles, qui s'activait derrière un banc. Le vétéran aussi les vit, et les salua d'un geste rapide et d'un sourire qui dévoila une bouche large avec des dents plantées un peu de traviole.

Lui, il voulut s'approcher du banc, parmi les groupes de touristes qui faisaient la queue et attendaient d'être servis, mais elle l'attrapa par le bras et le retint. On ne peut pas le déranger quand il travaille, lui dit-elle. Autrement il finira par avoir des ennuis avec son patron. Ici, ils ne rigolent pas.

Ils restèrent là un moment, tâchant de ne pas gêner les groupes de clients qui ne cessaient d'entrer et de sortir par vagues. Ils regardaient le vétéran, qui préparait les sandwichs avec des gestes rapides et efficaces, levant de temps à autre la tête de son travail pour leur lancer des clins d'œil complices. Puis après un moment, elle décida qu'ils étaient restés assez longtemps et ils ressortirent dans la clarté de la rue, après avoir salué le vétéran d'un geste discret de la main. La fille était toute radieuse et fière.

En ce qui le concernait, il l'aurait volontiers accompagnée encore un moment, mais elle avait tout plein de trucs à régler en prévision de la manif et maintenant qu'on lui avait accepté son projet, lui aussi avait du travail à faire. Ils se firent la bise, elle sauta sur sa Vespa et disparut tout de suite au coin de la rue. Il resta un instant à regarder les pierres grises des maisons, puis se secoua et décida d'aller terminer son affiche. Ce n'était pas grand-chose, en comparaison, mais que diable pouvait-il bien faire d'autre ?

Une partie de cricket

Le bruit commençait à se répandre que tout voyageur qui avait besoin, pour ses affaires ou pour toute autre raison qu'il considérait suffisamment urgente, de visiter la côte occidentale de l'Amérique du Sud aurait mieux fait de remonter depuis le détroit de Magellan.

Il y avait deux excellents motifs à cela. Le premier était la fièvre jaune, mais plus encore que la fièvre elle-même, la peur qu'elle suscitait auprès des autorités péruviennes, susceptibles de réagir de manière disproportionnée au moindre bruit de la présence de malades dans les navires en provenance de Panama, dont la région a toujours été particulièrement exposée aux ravages de cette infection. Rien de moins agréable que d'être mis en quarantaine chaque fois que le navire dans lequel on se trouve est obligé de toucher terre pour se ravitailler. On avait même entendu parler d'un bateau venant depuis le nord, qui aurait été repoussé d'escale en escale jusqu'à Port Montt, le tout dernier havre dans le sud du Chili, autant dire à un jet de pierre du détroit de Magellan !

La deuxième raison était que des voyageurs avaient rapporté la nouvelle qu'une révolution avait éclaté à Panama. Ceux qui connaissaient la région suggéraient qu'il conviendrait de patienter au moins deux ou trois semaines, question de donner le temps aux combattants d'épuiser leurs munitions, de parvenir à une trêve, de se massacrer suffisamment les uns les autres, ou de régler leurs différends de quelque autre manière que ce soit, pourvu qu'elle soit assez définitive.

Les deux suggestions n'avaient toutefois pas un grand poids pour qui devait ou voulait absolument se rendre à Panama avant de poursuivre éventuellement son voyage vers tout autre pays plus méridional. On pouvait estimer avoir de bonnes chances de ne pas être incommodé par la fièvre jaune si on se gardait de trop pénétrer dans l'intérieur du pays, et là encore il y avait certainement des régions qui étaient moins affectées que d'autres, autrement on n'aurait pas pu poursuivre les travaux de percement du canal, qui avaient débuté près de vingt ans auparavant mais qui avaient repris dernièrement avec un entrain renouvelé sous l'impulsion de capitaux américains. Quant à la révolution, le capitaine du paquebot dans lequel nous faisions le voyage éclatait de rire à la seule mention du terme.

— De quoi est-ce que vous vous inquiétez ? tonnait-il de sa voix habituée à se faire entendre d'un bout à l'autre du navire. C'est une révolution sud-américaine ! Les victimes principales en sont les oiseaux qui ont la malheureuse idée de voler au-dessus du champ de prétendue bataille. Ils font ça pour s'occuper. Cela leur arrive de temps à autre et puis ça leur passe tout aussi rapidement, et sans plus de raisons !

Un homme d'affaires colombien qui l'écoutait, et qui, en dépit de ses origines ou à cause d'elles, ne devait guère nourrir une opinion bien plus élevée des mœurs panaméennes, en profitait chaque fois pour renchérir la dose.

— Ce n'est rien du tout ! Nos jeunes ont le sang bouillant, vous avez dû l'entendre dire, et il lançait là une œillade gentiment ironique vers le capitaine, qui était, lui, sans qu'on puisse risquer de s'y tromper, Yankee à cent pour cent. Ils font ça pour faire du sport. Nous n'avons pas de cricket comme chez vous. La révolution est donc notre version à nous d'une partie de cricket. Rien de plus.

Cela aurait représenté une pure perte de temps d'essayer d'expliquer au Colombien que tous les passagers n'étaient pas nécessairement Anglais, qu'ils ne jouaient pas tous obligatoirement au cricket ni ne buvaient forcément leur tasse de thé à cinq heures de l'après-midi. Il avait une vision quelque peu restrictive de la variété des nationalités européennes et mettait dans le même sac, sans y accorder une seule pensée, tous les voyageurs originaires du vieux continent à l'exception des hispanophones. Il faut dire à sa défense qu'en effet, la majorité de nos compagnons de voyage venait effectivement de l'île d'Albion, ce qui ne devait surprendre personne, le port d'attache de notre bateau étant Londres. Il y avait bien aussi un petit nombre de Français, dont deux ingénieurs qui revenaient au travail après de courtes vacances dans leur patrie, et quelques autres ressortissants de pays européens, en particulier un groupe d'Espagnols dont on ne savait trop s'ils étaient des aristocrates en voyage d'agrément ou des commerçants en quête de nouveaux marchés. Il y avait également un Italien au visage rébarbatif, qui fréquentait volontiers les salles communes, écoutait avec attention les discussions même les plus anodines, mais participait rarement aux conversations. Les quelques fois où on l'avait entendu exprimer un avis, cela avait été quelque commentaire légèrement sarcastique, en un anglais qui ne se déferait jamais des sonorités de la langue maternelle du locuteur, mais qui par le choix de certaines expressions laissait supposer qu'il avait dû habiter pendant un temps assez long aux États-Unis.

Le plus célèbre des passagers, toutefois, était l'alpiniste anglais bien connu, sir Martin Conway, qui, si l'on devait en croire les journaux que nous avions lus avant notre départ, était revenu en Amérique latine, où il avait déjà vaincu les plus hauts sommets des Andes, dont le Sorata et l'Illimani, pour lancer son défi aux cimes sur lesquelles il n'avait pas encore pu planter le « Union Jack », et peut-être pour pousser ses explorations jusqu'à la Terre de feu. Sir Martin était un homme charmant, conscient de sa notoriété mais peu porté à la faire peser, toujours d'une grande politesse sans pour autant trop marquer de distance d'avec les autres passagers. Il se trouvait ainsi automatiquement au centre de toute discussion dès qu'il mettait le pied dans un des salons du navire, les autres voyageurs faisant naturellement de lui l'arbitre de tout débat.

— Une partie de cricket... répéta sir Martin avec un sourire indulgent. Il est vrai que mes compatriotes ont une tendance indéniable à prendre on ne peut plus au sérieux ce qui peut être considéré notre sport national. Mais nous n'en faisons pas pour autant à proprement parler une question de vie ou de mort...

— Nous autres non plus! objecta avec entrain le *businessman* colombien. Je vous assure que c'est un jeu! On s'affronte, on se tire dessus en faisant très attention à viser deux pieds plus haut que la tête du type d'en face, et selon le bruit qu'on fait on se met en position de négocier le résultat que l'on veut quand vient le moment de s'asseoir ensemble à la même table avec son adversaire.

— C'est une révolution pour rire? demanda l'Italien, qui à son habitude n'avait encore rien dit, en tordant un peu la bouche.

— C'est de l'opérette, confirma le Colombien en voyant qui lui avait posé la question. Vous connaissez ça, dans votre pays...

— Nous connaissons l'opéra, le corrigea l'Italien. Et l'opéra est toujours tragique et il y a toujours quelqu'un qui meurt.

L'ingénieur Guilbert, près de qui ma femme et moi étions assis, se pencha confidentiellement vers nous:

— Pourvu qu'en mourant il ne se décoiffe pas et ne chiffonne pas sa veste... Il n'a pas l'air très tragique, avec ses cheveux gominés et ses airs de gandin au rabais, celui-là...

Il était vrai que l'Italien, que nous avions entendu le capitaine appeler signor Pazzaglia, mais qui ne s'était présenté lui-même, que je sache, à personne, avait plutôt un aspect de mannequin de magasin d'habits d'occasion que de héros romantique. Sa chevelure très soignée, unie à des façons que leur rigidité ne rendait pas pour autant distinguées, avaient fait supposer à ma femme qu'il devait s'agir d'un coiffeur, métier d'ailleurs fréquemment choisi par ses compatriotes à l'étranger.

La traversée dura un mois, pendant lequel le niveau des discussions s'éleva malheureusement peu souvent au-dessus d'un bavardage aimable mais sans conséquence. Nous eûmes le plaisir d'avoir à plusieurs reprises à notre table l'ingénieur Guilbert et son collègue, monsieur Lebreton, qui purent nous éclairer sur les difficultés considérables que rencontrait le travail de percement du canal, dans un milieu naturel hostile et dans un climat qui pouvait à certains moments de l'année rendre le moindre effort extrêmement pénible. Mais ils nous rassurèrent sur l'issue qu'ils estimaient certaine des travaux, déjà fort bien avancés, et dont la réussite prochaine marquerait de manière indélébile le début du siècle qui venait de commencer, certifiant la victoire du progrès et de la technique qui domineraient incontestablement les ères à venir. Il était très difficile, en les entendant, de ne pas partager leur enthousiasme, ainsi que leur foi dans l'avancement des sciences. Même ma femme, à l'esprit pourtant si peu positif et toujours portée à diminuer l'importance de tout ce qui est matériel en comparaison à l'esprit, était entraînée par leur verve. Elle en venait à négliger les recueils de vers qu'elle avait emportés pour meubler les longues journées de la traversée, pour se mettre à écouter avec un plaisir évident leurs explications farcies de termes incompréhensibles, qui devaient avoir pour elle, on le sentait, une certaine étrange valeur poétique.

Nous débarquâmes enfin à Colon le 29 juillet. Tout le monde était sur le pont et nous nous réjouissions non seulement de toucher enfin terre, mais de pouvoir aussi apprendre quelle était la situation réelle du pays, et dans quelle mesure les événements qui s'y préparaient ou qui s'y déroulaient risquaient d'interférer avec la suite de notre voyage.

Nous comprîmes rapidement qu'il se passait quelque chose en voyant les quais du port quasiment déserts. L'arrivée d'un bâtiment ne passe jamais inaperçue, même dans un port normalement aussi fréquenté que l'était celui où nous venions d'arriver, mais on aurait dit cette fois-ci que les habitants de la ville avaient d'autres soucis, plus pressants, que de venir admirer un nouveau chargement de voyageurs, fussent-ils distingués comme l'étaient indéniablement plusieurs d'entre nous.

Une partie des passagers allait continuer vers le sud en direction de Tumaco après une pause de trois jours, qui permettrait à l'équipage de décharger certaines marchandises et d'en charger de nouvelles, en plus que de procéder aux travaux d'entretien normaux, et aux voyageurs de se réhabituer pour un petit moment à marcher sur la terre ferme. Plusieurs autres allaient continuer par le train vers la ville de Panama, pour ensuite poursuivre chacun son chemin vers sa destination, quelle qu'elle fût. En attendant, les hôtels de Colon n'étaient ni assez nombreux ni de qualité suffisamment acceptable pour que nous

nous perdions tous de vue. Il se trouva ainsi que ma femme et moi, les deux ingénieurs français, sir Martin Conway et signor Pazzaglia, présumé coiffeur, nous retrouvâmes logés pratiquement et symboliquement à la même enseigne : un établissement qui devait être considéré ici l'équivalent d'un quatre étoiles, dans une bâtisse en bois de deux étages entourée sur trois côtés par une véranda.

Nous nous empressâmes évidemment de nous procurer le journal local pour tenter de nous faire une idée du contexte politique du lieu, mais il n'y figurait aucune nouvelle susceptible de nous éclairer sur la situation militaire du pays. En fait, à la lecture de ces pages, on aurait pu croire que rien du tout ne se passait nulle part, ou en tout cas nulle part dans la région de Panama. S'il y avait des rapports de combats, ils venaient de Badfontein ou de Johannesburg, et détaillaient la situation confuse dans le Transvaal, où les forces des Boers opposaient une résistance acharnée aux corps expéditionnaires de l'empire.

Le Signor Pazzaglia, en dépit de l'absence d'informations qui rendait notre progression quelque peu incertaine, ne paraissait nullement déplu. Bien au contraire, il avait été d'excellente humeur toute la journée, sans qu'il soit possible de deviner si la cordialité subite qui le possédait était le résultat de la fin de notre voyage ou de quelque autre motif dont nous n'étions pas au courant. En fin d'après-midi, alors que nous étions les six réunis dans le bar de l'hôtel, il parvint à convaincre le barman d'aller récupérer au fin fond de ses caves une bouteille de champagne d'un millésime tout à fait respectable. Une fois qu'il l'eut obtenue et qu'il en eut vérifié l'étiquette, sous le regard indigné du propriétaire, pour s'assurer qu'elle était bien d'origine, il insista pour que nous la buvions ensemble.

— Madame, messieurs, déclara-t-il, permettez que je propose un toast. Aux rendez-vous historiques ! Aux moments fatidiques ! Aux révolutions, même si on n'en parle pas dans les journaux ou si on n'en parlera pas encore pendant plusieurs semaines, compte tenu de la vitesse à laquelle les nouvelles naviguent sur les mers du monde !

Nous levâmes tous nos verres, croyant à une tentative maladroite de faire de l'esprit, étant donné la carence totale de nouvelles vérifiables qui auraient pu nous intéresser dans la presse de la ville. Mais notre compagnon de voyage, devenu soudainement plus communicatif qu'il ne l'avait jamais été depuis que nos chemins s'étaient croisés, le visage rayonnant, poursuivait ses discours décousus en les entrecoupant de longues rasades de champagne.

— D'ailleurs, savons-nous seulement pourquoi on fait une révolution, dans ce pays ? Ils n'ont pas de roi, que je sache, à embastiller ou à guillotiner comme on nous en a donné l'exemple dans votre pays, n'est-ce pas, messieurs ? dit-il en s'adressant plus particulièrement aux ingénieurs français.

— S'ils n'en ont pas, peut-être veulent-ils en mettre un sur un nouveau trône, suggéra sir Martin avec un fin sourire. Ce ne serait pas une pire raison que d'autres pour avoir une révolution...

— Ma foi, intervint à son tour l'ingénieur Guilbert, cela ne serait en effet pas trop surprenant. Sauf que je parierais qu'ils ne l'appelleraient pas « roi », mais qu'ils lui donneraient un tout autre titre, moins ou plus pompeux, selon les cas : empereur, peut-être, ou président à vie. Deux catégories qui ne nécessitent pas aussi immédiatement une investiture divine.

— Vous en savez quelque chose, chez vous, effectivement, approuva sir Martin sur un ton qui laissait clairement entendre quelle opinion il nourrissait à l'égard de pareils titres.

— Oh oui ! admit l'ingénieur, nous en avons eu suffisamment. Mais malgré leurs défauts, nombreux et variés, ils ne sont pas arrivés à nous faire regretter l'ordre des choses précédent.

— Rois, présidents !... grogna l'Italien en vidant un nouveau verre, comme si les mots lui écorchaient la langue. Vous leur avez réservé des destins semblables, à ce qu'il me semble. La lame sous des formes différentes pour des résultats identiques : celle de la « veuve » pour Louis, celle d'un couteau pour votre Sadi-Carnot. Le résultat est le même.

— Pardon ! le rabroua cette fois-ci l'ingénieur Lebreton, dont le front s'était obscurci pendant que parlait signor Pazzaglia. C'est bien le peuple qui a décidé du destin du roi, cela ne fait pas de doute, mais que je sache ce n'est qu'un individu qui a poignardé lâchement notre président, et de surcroît, si je ne m'abuse, un de vos compatriotes.

Visiblement piqué au vif, l'Italien allait répliquer, mais il fut interrompu par la voix douce de mon épouse, qui avait le don de savoir s'interposer pour désamorcer toute situation potentiellement scabreuse et à qui le sens pratique ne faisait jamais défaut.

— Il me semble, mes chers messieurs, qu'au-delà de ces fascinants débats de principe, il serait intéressant d'apprendre quels sont les détails de la situation présente dans ce pays où nous nous trouvons. Elle pourrait en effet avoir des répercussions non négligeables sur nos projets à tous.

Chacun des participants à la discussion s'empressa d'approuver la suggestion qui venait d'être faite, se faisant concurrence de compliments et d'amabilités pour prouver à quel point on respectait l'avis des dames dans leur pays d'origine. On décida ainsi d'inviter le patron de l'établissement à notre table, présumant qu'il serait parmi les autochtones un des mieux placés pour intercepter les bruits et les informations qui pourraient nous être utiles.

Le patron, qui était un petit homme rondouillard et chauve, glabre si ce n'était pour l'imposante moustache qui, sous une forme ou sous une autre, poussait d'égale manière sous le nez de tous les mâles du pays qu'il nous avait été donné de voir, ne se fit pas prier pour nous expliquer, avec les circonlocutions prudentes d'usage, qu'il ne fallait pas s'attendre à trouver des nouvelles dans les journaux. En revanche, dit-il, tout le monde savait que la ville de Panama était présentement encerclée et qu'elle devrait faire l'objet d'une prise d'assaut ce jour même.

Il nous fut toutefois impossible de parvenir à le faire se prononcer sur les chances de victoire des rebelles, sur les capacités de résistance des troupes loyalistes, sur l'envergure possible des combats qui allaient se déclencher ou sur leur durée probable. À chaque question posée en ce sens, il haussait légèrement les épaules, levait de petits yeux noirs vers le plafond, que la vue devait idéalement traverser pour aller se perdre dans les profondeurs de l'infini, et répondait aussi vaguement que possible que trop d'éléments, sur lesquels il ne disposait que de données insuffisantes, devaient être pris en compte pour formuler des prévisions. Nous l'excuserions par conséquent de s'abstenir.

Dans ces circonstances et étant donné l'absence totale de raisons qui eussent pu nous retenir à Colon, en plus des raisons pressantes que nous devions avoir chacun pour poursuivre notre chemin, nous décidâmes de partir ensemble le lendemain par le premier train du matin – qui était en fait aussi le seul train du matin –, en direction de la capitale. Le fait de prolonger notre association ne fut pas remis en question. Malgré les différences évidentes non seulement de nationalité, mais d'éducation et d'intérêts qui nous séparaient, nos origines européennes suffisaient pour nous rapprocher les uns des autres dans un pays que même les ingénieurs français, qui en avaient déjà une assez longue expérience, ressentaient comme irrémédiablement étranger.

Pendant le trajet, Lebreton et Guilbert se firent un plaisir de nous entretenir des détails du travail énorme qui s'accomplissait en ce moment et dont nous pouvions voir les traces tout autour de nous. Ils nous expliquèrent que trois mille ouvriers, comme une véritable armée de fourmis, étaient employés en même temps chaque jour, occupés non seulement à couper l'impénétrable forêt qui semblait s'étendre à l'infini dans tous les sens, mais à terrasser des montagnes et à creuser des vallons. L'excavation de Culebra était maintenant arrivée à seulement quarante-cinq mètres au-dessus du niveau de la mer, pour aussi incroyable que cela puisse paraître. Ils nous abreuvèrent de descriptions et de commentaires, expliquant au fur et à mesure que nous les voyions défiler sous nos yeux sur le bord de la voie l'utilité et le fonctionnement des machines ainsi que l'organisation des baraques des ouvriers, véritables villages ambulants pourvus de magasins, d'hôpitaux et même d'églises.

Sir Martin, qui paraissait surtout impressionné par l'aspect titanesque de l'entreprise et qui devait y voir une autre forme de défi à la nature par rapport à ceux dont il avait l'habitude, écoutait avec un respect mêlé d'admiration tranquille. Signor Pazzaglia, de son côté, semblait littéralement transporté d'enthousiasme face aux prouesses techniques réalisées par les travailleurs du futur canal, et intercalait souvent des péans naïfs à l'honneur de la science entre les discours des deux Français, qui supportaient ses interruptions avec équanimité.

Le train allait assez lentement, mais même à cette vitesse réduite il ne fallut pas plus de trois heures pour arriver à Culebra, où Lebreton dut nous quitter pour reprendre son poste pendant que Guilbert poursuivait son voyage avec nous pour aller retrouver à la capitale des dirigeants de la compagnie, pour lesquels il ramenait des documents et des messages depuis l'Europe.

Une heure environ après ce premier arrêt, le train freina de nouveau avec un bruit perçant d'acier contre acier. J'allais me pencher à la fenêtre pour me rendre compte de ce qui avait causé cette halte imprévue alors que nous devions être désormais parvenus assez près des faubourgs de la ville, lorsque Pazzaglia me devança avec cette fougue nerveuse caractéristique de ceux de sa nationalité.

— Il y a un type au milieu de la voie qui agite son chapeau, annonça-t-il d'une voix que l'on sentait légèrement tendue.

Le train reprit à avancer, mais très lentement. Nous pénétrions dans une sorte de défilé. D'un côté comme de l'autre, une dizaine de mètres de terrain plat bordait la voie. Sur la gauche s'élevait un remblai pas plus haut qu'une maison de deux étages, alors que sur la droite, direction dans laquelle nous savions devoir se trouver la cité, le flanc abrupt d'une colline nous coupait la vue. Au sommet on apercevait une bordure de végétation indistincte.

— Que se passe-t-il ? demanda ma femme d'une voix calme mais sur un ton plus profond que celui qui lui était habituel, formulant la question que nous étions tous en train de nous poser dans notre esprit.

La réponse nous arriva sous la forme d'un crépitement soudain de coups de feu, qui troua l'air lourd de chaleur de la mi-journée.

Laissant Pazzaglia à la fenêtre sur notre gauche, je me précipitai à celle de droite. Je me rendis compte alors, en examinant le sommet de la colline escarpée qui nous séparait de la capitale et que le train devait contourner pour y arriver, qu'on y voyait pointer tout du long des museaux de mitrailleuses et des canons de fusils, qui dépassaient des fourrés et des arbrisseaux.

— Là-bas, s'écria l'Italien au même moment, en

pointant vers l'avant de son côté de la voie, il y a des hommes. Ce doit être les rebelles.

Nous nous déplaçâmes tous de son côté, à l'exception de ma femme que je pris soin de faire s'asseoir à une distance égale des deux fenêtres du wagon, où elle serait le plus à l'abri. On pouvait effectivement voir, là où le remblai semblait finir, un groupe assez nourri d'hommes en armes, à moitié cachés dans un terrain marécageux dans lequel poussaient des buissons qui ne pouvaient pas leur fournir de protection bien solide. Ce groupe se trouvait environ à trois cents yards de nous. Un peu plus loin on pouvait voir un pont, qui semblait être l'objectif de leur attaque. Le chemin de fer suivait parallèlement la route qui menait au pont, et encore quelques centaines de yards plus loin on pouvait voir briller sous le soleil les toitures en tôle ondulée de la gare, suivie par des entrepôts qui se prolongeaient jusqu'aux quais, en bordure de l'océan.

Le train avançait lentement. Signor Pazzaglia passait sans cesse d'un côté du wagon à l'autre, demandant qui étaient les révolutionnaires, de ceux de droite ou de ceux de gauche. Il avait baissé autant que possible les vitres et se penchait en dehors jusqu'à la taille dans l'effort d'identifier les combattants. Sir Martin était au contraire devenu plus silencieux et restait assis à sa place, tout droit et immobile, pendant que seuls ses yeux perçants balayaient ce qu'on pouvait voir du chemin devant nous. L'Italien n'était toutefois pas le seul à faire preuve de curiosité excessive. Le spectacle du train s'était clairement avéré représenter une tentation irrésistible pour les deux camps adverses.

Des têtes commençaient à pointer de plus en plus nombreuses au sommet de l'escarpement, et d'autres faisaient des taches claires aux limites du marécage en face. Pendant quelques instants, les deux factions parurent hypnotisées par l'avancée prudente du train, puis elles se rendirent compte en même temps de la cible idéale que fournissaient leurs opposants.

La fusillade éclata, furieuse. Les vitres du train, pris entre deux feux, éclatèrent en une pluie tintinnabulante, et leurs fragments rebondirent dans le couloir et sur les chaises comme une grêle subite se brise sur les pavés en hiver. Je me précipitai sur ma femme, la couvrant d'abord de mon corps pour tenter ensuite de la coucher à l'abri des banquettes. Tous les passagers avaient eu le même réflexe et s'étaient jetés à quatre pattes. Les balles perdues sifflaient au-dessus de nos têtes, nombreuses et agressives comme ces moustiques porteurs d'un autre genre de maladie mortelle contre lesquels on nous avait tant prévenus.

Le conducteur, qui n'avait pas perdu son sang-froid, cria qu'il fallait avancer jusqu'au wagon postal. Celui-là étant pratiquement dépourvu de fenêtres, la recommandation paraissait digne d'être suivie. Pour y parvenir il fallait toutefois arriver d'abord au bout de notre wagon, et ensuite en traverser un autre encore. Ce qui était plus vite dit que fait. Les passagers rampaient avec difficulté. Le plancher commençait à être maculé de taches de sang, non pas tant à cause de quelque blessure directement causée par les coups de feu, qui continuaient de s'intensifier, que pour les coupures qu'infligeaient aux paumes des mains et aux avant-bras les éclats de verre qui recouvraient le sol. Sir Martin paraissait trouver quelque chose d'irrésistiblement comique dans la situation dans laquelle nous nous trouvions, riant à gorge déployée. Toujours secoué d'éclats d'hilarité, il poussa rudement un curé catholique qui avait tenté de passer par-dessus le corps d'une paysanne aux formes abondantes qui bouchait la porte du wagon et s'était trouvé lui-même empêtré dans ses habits, au point de ne plus pouvoir bouger ni dans un sens ni dans l'autre. Le seul autre qui partageait la bonne humeur du célèbre alpiniste anglais était l'Italien, qui finit de dégager le chemin du corps rondelet du prêtre en le poussant fermement du pied dans le bas du dos, tout en lançant des cris de plaisir qui avaient quelque chose d'encore plus sauvage que les appels et les incitations que jetaient des deux côtés de la voie les combattants en présence.

La situation dans le wagon postal était légèrement meilleure, mais encore loin d'être idéale. Les seules balles qui y pénétraient étaient celles qui passaient par les fentes étroites qui s'ouvraient juste sous le toit. Certaines s'enfonçaient avec des bruits mats dans les parois de bois, d'autres ricochaient avec des sifflements furibonds, présentant un danger certain pour les passagers. En l'espace de moins d'une heure trois personnes furent ainsi blessées, quoique par bonheur seulement légèrement. Après un certain temps, le train recommença à bouger, presque imperceptiblement d'abord, puis toujours lentement, mais plus régulièrement. Suivi par signor Pazzaglia, j'étais retourné dans le wagon précédent pour essayer de me rendre compte de la situation au dehors. Nous passions à ce moment-là à peu près à la hauteur du pont qui avait été l'objet de l'attaque des rebelles. Un obus explosa alors près d'un des piliers, lançant dans les airs une colonne de boue qui vint retomber jusque sur nous. On voyait que les insurgés, qui n'avaient pas relâché un instant leur attaque, n'étaient toutefois pas parvenus à gagner suffisamment de terrain pour rendre leur position moins précaire. Les troupes gouvernementales, qui avaient l'avantage d'une position surélevée, faisaient montre de plus de prudence, et parvenaient avec quelque régularité à frapper les files de leurs adversaires avec des coups de mortier bien placés, ou quelques obus de leurs canons.

Le train arriva enfin en gare, mais la situation des passagers n'en devint pas pour autant moins dangereuse. La gare elle-même était l'un des objectifs des assaillants. Nous descendîmes tous pour tenter de nous réfugier dans un entrepôt, mais il devint vite évident que ses parois pauvrement construites avec des matériaux de piètre qualité ne seraient pas en mesure de nous protéger. Les balles traversaient les murs comme s'ils n'avaient pas été là et dans la première minute depuis notre arrivée en ce lieu, avant que nous puissions nous rendre vraiment compte de la précarité de la situation, quatre personnes avaient déjà été blessées.

À partir de là ce fut chacun pour soi. Les passagers qui connaissaient la ville furent les premiers à disparaître. Chaque fois qu'il se faisait une courte accalmie dans les échanges de coups de feu, quelqu'un d'autre s'en allait. Avec l'ingénieur Guilbert et sir Martin, nous avions construit une sorte de barricade en utilisant les meubles disponibles : deux vieux bureaux, des chaises, une armoire métallique pour des documents. Pazzaglia, qui était cependant celui qui en avait eu l'idée et m'avait proposé ce stratagème, voyant à quel point je me faisais du souci pour ma femme, ne s'y était pas réfugié avec nous. Il rampait à même le sol, interrogeant les gens de l'endroit dans un espagnol approximatif, abondamment entrelardé d'expressions et d'exclamations dans sa langue natale. Il voulait savoir quels étaient les motifs des combats, ce qui poussait les insurgés à se battre contre le gouvernement, et pour quelles raisons ils faisaient montre d'une telle obstination pour parvenir à leur but, en dépit de leur infériorité stratégique. « Une partie de cricket ! », on l'entendait s'exclamer de temps à autre en riant assez fort pour couvrir un instant le bruit des explosions. « Sacrée partie de cricket ! »

Plus le temps passait, plus les combats paraissaient s'intensifier. Rebelles et militaires se tiraient maintenant dessus, presque à bout portant juste en dehors de notre refuge. Le train que nous avions abandonné était devenu lui-même un terrain de bataille. Nous nous rendions compte que notre position n'était guère tenable à la longue, et qu'il vaudrait mieux courir quelques risques maintenant pour arriver à trouver un asile plus sûr, que d'attendre que l'un ou l'autre des deux groupes en présence ne finisse par pénétrer dans l'entrepôt en tirant dans tous les sens.

Nous tentâmes donc une sortie, passant par une porte secondaire qui devait donner, selon nos calculs, dans la direction du centre-ville. Malheureusement nos spéculations s'avérèrent peu précises, et nous

nous retrouvâmes au contraire entièrement exposés au milieu d'un terrain vague, du côté opposé à celui dans lequel nous avions cru aller. Nous nous précipitâmes comme un seul homme dans un autre entrepôt semblable à celui que nous venions de quitter, semblablement aussi rempli de réfugiés, et guère plus accueillant que le précédent. Sir Martin, qui s'en voulait d'avoir mal calculé et remerciait le bon Dieu du fait qu'aucun d'entre nous n'ait eu à souffrir de cette malencontreuse équipée, commençait à perdre le flegme qui l'avait caractérisé jusqu'ici. Il empoigna un jeune Noir qui, par son accent, devait venir de la Jamaïque, et le secoua vivement en lui demandant de nous indiquer immédiatement dans quelle direction se trouvait la maison du consul d'Angleterre et comment il convenait de s'y prendre pour y parvenir. Ses modes pouvaient effectivement paraître quelque peu expéditifs, mais le plus important était d'obtenir ce renseignement qui pour nous pouvait se révéler vital.

Malheureusement, le Jamaïquain, dont les nerfs avaient dû être rudement ébranlés du fait de se retrouver en plein milieu de combats acharnés auxquels il ne devait rien comprendre, semblait incapable de dominer suffisamment sa peur pour nous fournir les informations qu'on lui demandait.

Sir Martin, excédé comme on peut le comprendre par son peu de coopération, et sans doute désireux de trouver au plus vite un hâvre pour notre petite société dont il semblait naturellement avoir assumé le rôle de chef, l'empoigna par le col de sa chemise. Il s'apprêtait à intensifier, non sans raison, ses tentatives de persuasion lorsque signor Pazzaglia lui sauta dessus comme un diable sorti d'une boîte et lui arracha le Noir de mains.

Aucun d'entre nous ne sut sur le moment ce qu'il convenait de faire. Sir Martin lui-même était tellement surpris qu'il en était resté là les bras ballants. L'Italien avait fait asseoir le Jamaïquain contre le mur et lui parlait d'une voix basse et tranquillisante, un bras drapé autour de ses épaules pendant que de sa main libre il gesticulait comme ses compatriotes ne peuvent en aucune occasion s'empêcher de faire. Après quelques instants le Noir se reprit, s'essuya les yeux du revers de la main, et se releva en même temps que son improbable bienfaiteur. Ils marmonnèrent un instant ensemble sans que je puisse comprendre précisément, à cause du ton et de leurs accents également épais, de quoi ils parlaient.

Puis Pazzaglia éclata d'un grand rire et secoua vigoureusement la tête. L'ingénieur Guilbert, qui s'était approché et avait pu saisir une partie de la conversation, me dit que le jeune homme avait proposé à notre compagnon de l'amener jusqu'au consulat du Règne d'Italie, qu'il disait n'être pas bien loin.

« Amérique, Amérique ! », nous entendîmes Pazzaglia répliquer, toujours en riant. « Ça vaudra mieux ! »

Effectivement, dans les cinq minutes qui suivirent nous partîmes tous l'un à la suite de l'autre, le jeune Noir en tête, Pazzaglia après lui, et sir Martin à la fin qui protégeait nos arrières. Des coups tirés d'on ne savait où faisaient gicler par moments autour de nous la terre durcie de la route. Nous croisâmes divers chariots pleins de cadavres sanglants amoncelés n'importe comment les uns sur les autres, traînés par des chevaux fatigués qui ne réagissaient même plus au bruit des explosions. Leur chargement ballottant, les expressions impassibles et absentes des corps, prêtaient un air d'irréalité à une situation qui était déjà en dehors de tout ce que nous avions vécu jusque là. Ces chariots funèbres contrastaient horriblement avec l'aspect de fête des rues, désertes, mais où chaque maison était décorée avec de grands drapeaux suspendus aux fenêtres et aux balcons. Il y avait des drapeaux de toutes les nations. Nous pûmes en voir d'anglais, d'allemands, de français, mais la très grande majorité étaient des drapeaux américains. Seuls les drapeaux colombiens brillaient par leur absence.

Avant d'arriver à la demeure du consul des États-Unis, nous tombâmes au coin d'une rue sur deux soldats qui avançaient au beau milieu de la chaussée en déchargeant leurs fusils dans les airs et en criant. Ils passèrent à côté de notre groupe sans même nous voir, comme emportés dans un rêve.

La maison du consul était grande, un peu protégée par un jardin à l'avant où poussaient quelques arbres qui faisaient paravent, mais elle n'avait pas non plus été épargnée. Il ne restait pas une fenêtre intacte sur toute la façade et les impacts des balles marquaient partout de balafres noires irrégulières la blancheur du bois. Nous fûmes accueillis à bras ouverts, même si une bonne quarantaine de ressortissants de divers pays s'y trouvaient déjà et s'ils n'avaient pratiquement rien à nous offrir, comme cela faisait deux jours qu'ils étaient dans l'impossibilité de s'approvisionner. Le consul, un homme ventripotent mais d'une taille massive qui masquait quelque peu son excédent de poids, tint à nous accueillir personnellement et à ce que nous lui soyons présentés. Il se déclara ravi de pouvoir rendre service à sir Martin Conway, dont il avait admiré comme tout le monde les exploits sportifs remarquables aux quatre coins du monde. Il se montra particulièrement plein d'égards envers ma femme, qu'il confia aux bons soins de son épouse, une dame cordiale au visage ouvert, d'une carrure tout juste inférieure à celle de son mari. Et il accueillit avec quelque chose d'avoisinant à de la camaraderie le signor Pazzaglia, qui se présenta à lui comme un ressortissant de la grande démocratie nord-américaine.

— Quinze ans ! dit-il sans pouvoir s'empêcher de révéler ses véritables origines, soulignant l'affirmation d'un geste vif de la main droite. Cela fait quinze ans que je réside aux États-Unis !

— Patrie de la liberté, spécifia tout naturellement le consul.

— Surtout là où je réside moi, agréa Pazzaglia. J'habite Paterson, dans le New Jersey. La ville la plus libre de tous les libres États-Unis d'Amérique !

Le consul ne connaissait pas la ville en question, mais cela lui faisait visiblement un si grand plaisir de voir un immigré montrer un tel enthousiasme pour son pays d'accueil qu'il ne lui serait jamais venu à l'esprit de mettre en doute cette affirmation. Il n'y avait plus rien à manger, mais il restait un choix de boissons. Le consul proposa un toast à Paterson, la ville la plus libre du pays le plus libre du monde. L'idée de boire un petit coup de quelque chose de fort après toutes nos émotions ne nous déplaisait pas, et aucun d'entre nous ne montra de réticence à lever son verre à l'unisson en l'honneur d'une ville dont personne n'avait jamais entendu parler auparavant.

— Et qu'est-ce que vous faites si loin de chez vous ? s'enquit le consul de son néocompatriote.

— J'ai dû accompagner en Europe un ami de Paterson, qui y était appelé pour des raisons d'une extrême gravité. Je me suis dit que sur le chemin du retour, j'en profiterais pour rendre visite à quelques colonies où habitent d'autres amis, en Amérique centrale et en Amérique latine, et leur apporter des nouvelles de leurs amis de Paterson.

— Vous avez donc des amis partout dans le monde ! s'exclama le consul en riant.

— Vous ne croyez pas si bien dire, approuva Pazzaglia en hochant la tête et en riant à son tour.

Malgré toutes les tentatives du consul américain pour rendre le séjour obligé de ses hôtes le moins désagréable possible, l'écho des explosions et des coups de feu nous rappelait à tout moment que la situation de la capitale ne montrait pas le moindre signe d'amélioration. Des gens allaient et venaient, et à travers eux nous apprîmes que la position des rebelles s'affaiblissait d'heure en heure. Leur armement n'était en rien comparable à ce dont pouvaient disposer les troupes loyalistes. La seule artillerie sur laquelle ils pouvaient compter était composée des quelques pièces qu'ils avaient soustraites à leur ennemi. Les munitions étaient insuffisantes. De plus, le bruit se faisait de plus en plus insistant de l'arrivée prochaine de renforts pour les assiégés. En dépit de tout cela, les rebelles attaquaient sans cesse. Ils avaient tenté pas moins de trois fois dans la demi-journée précédente de prendre le pont et d'occuper la gare et ses environs. Chaque fois, ils avaient été à un doigt de la réussite et chaque fois ils s'étaient fait repousser, avec de grosses pertes en hommes et en matériel, seulement pour essayer de nouveau quelques heures après.

Sir Martin secouait la tête. « Ils n'ont aucune chance de réussite. Ils devraient laisser tomber et se retirer pendant qu'ils peuvent encore le faire. »

Signor Pazzaglia secouait aussi la tête mais parvenait à des conclusions tout opposées : « Ils n'ont pas d'autre choix. C'est maintenant ou jamais. Ils doivent continuer d'attaquer jusqu'à ce qu'ils l'emportent. »

Ce ne fut que vers les cinq heures qu'un hasard de la conversation révéla à sir Martin que le consulat d'Angleterre se trouvait à moins de deux pâtés de maisons de l'endroit où nous étions. L'explorateur décida de profiter de la première obscurité de la soirée pour tenter d'y parvenir. Signor Pazzaglia s'offrit de l'accompagner, car il était impatient d'avoir des nouvelles fraîches. Il reviendrait ensuite se mettre une fois de plus sous la protection du drapeau de sa patrie adoptive. Je décidai de me joindre à eux, dans l'espoir que les Anglais disposeraient de plus grandes réserves de nourriture que leurs cousins américains. Je pourrais alors ramener quelques comestibles, du moins pour les femmes, qui commençaient à souffrir de ce jeûne forcé. L'ingénieur Guilbert, dont le consulat était trop loin pour qu'il puisse espérer y parvenir sans danger, resta sagement sur place.

Le trajet se fit sans difficulté pendant une accalmie dans les combats. À peine sortis de la propriété du consulat américain, nous tombâmes sur des groupes de marins anglais, du schooner H.M.S. Leander, qui assumaient le rôle de la Croix-Rouge, rassemblant les blessés et leur donnant le minimum de secours qu'il était à leur portée de leur offrir. Ils s'étaient entendus avec les deux parties pour intervenir et dégager les blessés du champ de bataille lors de courtes trêves. Le commandant du schooner s'était proposé pour jouer ce rôle après s'être rendu compte que ni l'un ni l'autre camp ne disposait des moindres capacités en matière de soins aux blessés.

Il y avait des blessés partout. Les tranchées des deux côtés en étaient pleines ; et les blessés s'étaient glissés partout où ils pouvaient avoir la plus petite protection, dans les caves des maisons, sous les vérandas, où ils attendaient que quelqu'un vienne s'occuper d'eux, ou alors où ils expiraient sans que personne ne s'aperçoive de leur présence. Pendant que sir Martin continuait vers son consulat, impatient d'y arriver avant que les engagements ne reprennent, signor Pazzaglia s'était associé aux groupes de marins qui ramassaient ici et là les victimes des combats. Il ne cessait de marmonner : « Tu parles d'une partie de cricket ! »

Nous retournâmes ensemble au consulat américain deux heures plus tard, malheureusement sans aucune nourriture pour les dames qui nous y attendaient. Le consul faisait de son mieux pour remonter le moral de ses hôtes involontaires en leur rappelant que le whisky aussi peut nourrir son homme, et même sa femme en cas de besoin, en l'absence de quelque chose de plus solide. Et de toute façon, nous rassurait-il de sa voix de basse, cette situation ne saurait durer. D'ici la fin de la journée du lendemain tout serait très probablement résolu.

Pazzaglia buvait le whisky du consul et secouait la tête. Il avait été frappé, comme moi, mais encore plus que moi, par l'apathie complète que montraient les blessés. Nous en avions vu qui se faisaient extraire des balles du corps à la pointe d'une baïonnette et qui ne bougeaient même pas, comme si l'opération à laquelle on les soumettait avait concerné quelqu'un d'autre. Leurs regards étaient vagues, lointains. Ils s'étaient battus comme des fauves tant qu'ils le pouvaient, et quand ils n'avaient plus pu ils avaient simplement tout arrêté, comme des marionnettes auxquelles on aurait coupé les fils. C'était encore plus que du fatalisme. C'était une indifférence soudaine et totale à tout, y compris à la vie.

Le lendemain, nous nous aperçûmes que cette indifférence s'étendait même à la mort.

Les renforts étaient arrivés depuis Colon, et ce n'était plus maintenant qu'une affaire d'heures avant que ne sonne le glas de la révolte. Tout le monde avait appris la nouvelle, y compris les rebelles, mais pendant plusieurs heures les offensives continuèrent très exactement comme la veille, avec de nouvelles tentatives de prise d'assaut de la gare de la part des révoltés, que rien ne semblait décourager. Puis, avant la fin de la matinée, se diffusa la nouvelle de la reddition. Les rebelles avaient eu des garanties. Il n'y aurait pas de représailles, pas d'exécutions. La guerre finit d'un coup. Les hommes qui s'étaient combattus marchaient côte à côte dans la rue sans même se regarder. C'était comme si l'annonce de la fin des combats avait signifié la fin du monde.

Dans les jours qui suivirent nous vîmes encore à plusieurs reprises nos compagnons de voyage et d'infortune. La fin de la révolution ne signifiait pas pour autant le retour immédiat au calme et à la normalité. Les rues étaient encore jonchées de cadavres, que personne ne touchait et qui gonflaient rapidement sous le soleil tropical. De nouveaux drapeaux étaient apparus aux maisons, ceux du gouvernement colombien, même si c'était chose communément acceptée que la population de la capitale avait été majoritairement du côté des insurgés. Laissant ma femme à l'abri chez le consul américain, je partis avec Pazzaglia pour tenter de trouver une façon de poursuivre nos périples respectifs. Ce ne serait pas facile de s'embarquer, d'autant plus que maintenant les bateaux évitaient le port, de peur des épidémies que l'on prévoyait à la suite de ces milliers de cadavres pourrissants qui empestaient l'air, rendant la ville entière quasiment invivable. Le troisième jour, les habitants, soutenus par les autorités qui semblaient encore surprises d'être toujours en place, firent un effort et on commença à rassembler les corps en d'énormes tas, qu'on aspergeait de pétrole et auxquels on mettait le feu. Des colonnes de fumée noire et grasse montaient des quatre coins de la ville et de partout dans la campagne environnante. L'air, malgré la proximité de la mer, était pratiquement irrespirable.

Sir Martin, nous l'apprîmes peu avant notre départ, était en train d'organiser une expédition et continuerait son voyage vers le sud par voie de terre, pointant droit vers les cimes qu'il s'était proposé de vaincre et dont nulle révolution ne saurait le garder longtemps éloigné. Ma femme et moi décidâmes d'abréger notre parcours sud-américain et pûmes nous faire accepter sur un bateau qui allait partir pour San Francisco. Signor Pazzaglia, dont j'avais fini par apprécier certaines qualités en dépit de ce que sa personnalité pouvait avoir de mal dégrossi, se joignit à nous, se trouvant dans l'impossibilité de continuer son voyage vers le sud, comme il l'avait d'abord entendu. Les événements que nous avions vécus l'avaient impressionné, et il ne se passait pas une journée sans qu'il ne laisse échapper quelque exclamation sur « les parties de cricket qu'on joue dans ces pays ». Lorsque notre bateau fit halte à Cuba, il débarqua dans l'espoir de trouver passage sur quelque navire qui lui permette de repartir vers le sud en évitant l'écueil de Panama. Il avait, disait-il, des messages importants à transmettre, probablement, je n'en suis pas entièrement sûr, en Argentine ou au Chili, avant de pouvoir retourner dans sa ville de Paterson – la ville la plus libre du pays le plus libre du monde.

Nous arrivâmes enfin à San Francisco après un voyage pour une fois sans histoire. C'était comme retrouver la civilisation. Nous dénichâmes un hôtel trois étoiles où oublier pendant quelques jours nos vicissitudes et nous nous offrîmes quelques bons dîners dans des restaurants qui n'avaient rien à envier aux meilleurs établissements européens. Nous eûmes également l'occasion de lire les journaux et d'apprendre ce qui s'était passé dans le vaste monde depuis que nous avions été coupés de tout par cette révolution sud-américaine inattendue. Ce fut ma femme qui posa son doigt sur la date, qui aurait pu m'échapper tant la nouvelle elle-même était choquante. Le 29 juillet, le jour où nous avions débarqué à Colon, le roi d'Italie, Humbert premier, avait été tué de trois coups de pistolet par un anarchiste alors qu'il était en visite dans sa bonne ville de Monza.

On disait aussi, mais c'était sans doute une coïncidence, que l'assassin était arrivé depuis les États-Unis.

Révolution !

L'affiche était déjà prête, fond rouge sang de bœuf, avec le mot « RÉVOLUTION ! » campé en plein milieu, suivi de son beau point d'exclamation, tout en majuscules et en noir ; puis au-dessus, discret, le nom du théâtre, l'adresse, les dates des représentations, et au-dessous le nom de l'auteur d'abord, celui du metteur en scène ensuite, et après ceux des acteurs, tous rigoureusement de la même dimension et en ordre alphabétique. On l'avait fait exprès, pour l'égalité. Pour lire, il fallait s'approcher, regarder de près. Cela aussi avait été fait exprès. Placardé partout sur les murs de la ville, sur les poteaux d'électricité, il ferait tout à fait illusion. On croirait à une vraie affiche de militants, à l'annonce de Dieu sait quoi de fracassant, d'historique en puissance. Il faudrait être drôlement démuni de curiosité pour ne pas aller mettre le nez dessus, déchiffrer les petites chiures de mouche. Et après, qui sait, cela donnerait peut-être bien envie aux badauds de se transformer en spectateurs.

— Je me demande quand même si cela n'aurait

pas dû être au pluriel, hasarda le metteur en scène sur un ton juste assez hésitant pour bien montrer que ce n'était pas une critique, juste une idée, une suggestion constructive comme c'était son métier d'en faire. Après tout, ajouta-t-il, il n'est pas question d'une seule, on en passe en revue une sacrée flopée...

L'auteur secoua sa tête abondamment chevelue, envoyant des mèches un peu grasses voleter dans tous les sens.

— C'est le concept! précisa-t-il. L'absolu de la notion. Le nouménè. Les épiphénomènes, les incarnations successives et seulement apparemment diverses ne font que mettre d'autant plus en évidence son unicité. C'est là, au fond, l'idée de base de la pièce! L'essentiel!

Le metteur en scène n'insista pas, il hocha la tête pour bien montrer qu'il avait compris, qu'il avait même en fait déjà parfaitement bien compris avant, dès le départ, ça allait de soi.

Toute une petite foule s'agitait sur scène. Des ouvriers, des nettoyeurs, des décorateurs, des acteurs, dont certains déjà en costume et prêts pour le début des répétitions. Parmi eux, immobile, l'air concentré comme s'il était déjà en train de se mettre dans la peau du personnage, faisant abstraction de tout ce qui se passait autour de lui, il y avait le beau jeune premier qui tenait le rôle principal. Il s'appelait Jean Durand et regrettait de ne pas avoir adopté à temps, avant que les affiches ne fussent déjà toutes imprimées, un nom de scène, un pseudonyme plus original, du genre à vous faciliter les débuts de carrière et qui fasse bien dans les journaux. Ses yeux s'illuminèrent à la vue du duo qui s'approchait et dont il avait entendu l'échange, même au milieu de la confusion ambiante.

— Raison pour laquelle tout repose sur mon personnage, déclara-t-il d'une voix qu'il savait rendre encore plus profonde et riche qu'elle ne l'était déjà naturellement, et avec un regard de travers, qui faisait de son mieux pour paraître innocent, à l'intention du metteur en scène : « Mon personnage unique et multiple qui traverse les époques et qui les relie, figure éternelle de la révolte existentielle que rien ne saurait entraver ni décourager ! »

— Tu comprends maintenant pourquoi il est acteur et pas écrivain ? demanda le metteur en scène à l'auteur avec une moue dubitative, passablement embêté après tout que l'autre se permette, mine de rien, de lui faire comme ça la leçon.

L'auteur ne les écoutait déjà plus. Il regardait les décors qui défilaient sur leurs rails – on en avait installé toute une série au fond de la scène pour pouvoir changer les décors avec la vitesse qu'il fallait, pour passer aisément, sans que les spectateurs aient le temps de s'en rendre compte, d'une époque à la suivante. Dans les hauteurs tremblotaient tout légèrement les toiles peintes qui allaient, montant et descendant d'un acte à l'autre, suggérer des panoramas embrasés, des cieux ténébreux, des aubes nouvelles et radieuses. Il regardait tout cela et n'en revenait pas, fier et inquiet en même temps, impatient de voir chaque détail et chaque petite chose se mettre en place pour créer cette magie, ce formidable carnaval d'illusions qu'était le théâtre, pour donner vie à sa pièce, à laquelle il avait si longtemps travaillé. Si longtemps qu'il en arrivait à croire, tout tremblant intérieurement d'appréhension, que c'était là pour lui le billet pour le succès, la célébrité, son nom sur les lèvres de tous. Et puis une vie à ne faire que cela, des projets de plus en plus ambitieux, des spectacles qui attireraient chaque fois les foules, comme Robert Lepage ou André Brassard.

— Dis voir, Jean-Louis, on a décidé, alors, ce que je dois faire dans la scène des barricades ?

La voix fraîche et musicale qui venait de prononcer cette phrase, adressée au metteur en scène, appartenait à une jeune femme coiffée d'un bonnet phrygien duquel s'échappaient en volutes dorées des masses de cheveux blonds et vêtue d'un long habit blanc artistiquement déchiré en lambeaux, qu'une ceinture placée très haut retenait juste en dessous d'une poitrine fort agréablement rebondie. Une manche était arrachée, sacrifiée vraisemblablement dans le feu de l'action, et la fille remontait l'autre vers son cou de la main droite, aux ongles juste un brin trop longs peut-être pour le personnage qu'il lui faudrait incarner.

— La scène des barricades ? demanda le metteur en scène comme s'il en entendait parler pour la première fois. Eh bien, il faudra voir. Évidemment, pour bien réussir l'allusion picturale, ce serait utile. Mais cela risque aussi de distraire, tu sais ? De faire perdre de vue le développement de l'action, le message...

— C'est important, le message, approuva l'acteur en étouffant un léger ricanement. Mais il faut aussi d'autres choses pour le faire passer. Pour l'illustrer, en quelque sorte. Et notre amie, comme illustration, on fait difficilement mieux...

La fille lui lança un regard à moitié entre l'ennuyé et le flatté et se tourna vers l'auteur pour quêter son soutien.

— Moi, il me semble que c'est bien normal, dit-elle en arrondissant un peu les lèvres qu'elle avait naturellement assez rouges. Je suis après tout le point focal de l'action, dans cette scène. Ça se remarquera si la composition ne correspond pas à l'original que tout le monde a présent à l'esprit...

— Et ça se remarquera encore plus si elle l'est trop, commenta le jeune premier en tâchant de faire comprendre, par un sourire sympathique et gamin qu'il avait répété tant de fois devant le miroir de sa salle de bains, qu'il fallait prendre la remarque du bon côté.

Le metteur en scène ne s'apercevait pas qu'il s'était mis à se tordre les mains.

— Je comprends les besoins artistiques, commença-t-il sur un ton qui se voulait conciliant. Mais il faut tenir compte aussi des circonstances. Cela risque de nous exposer à des remontrances. Il ne faut pas oublier que nous opérons dans le cadre d'un festival alternatif qui est au fond à peine toléré. Des accusations d'obscénité pourraient nous faire le plus grand tort. Non pas, s'empressa-t-il d'ajouter, qu'il y ait quoi que ce soit d'obscène dans une pareille scène ! Mais vous savez à quel point les esprits mesquins peuvent déformer la réalité si ça leur convient. Déjà que le sujet n'est pas fait pour attirer d'emblée la bienveillance des critiques des grands médias bourgeois...

— C'est embêtant, convint l'auteur, qui hésitait sur la position à adopter. Dans mes intentions, évidemment, dans la façon que je concevais la scène, la fidélité à l'original pictural allait de soi. En théorie, n'est-ce pas ? Mais je conçois que ce serait dommage d'offrir le flanc à des critiques, malhonnêtes, certes, mais qui risqueraient de distraire l'attention du public de l'essentiel.

— Je n'en suis pas très persuadé, dit l'acteur en secouant la tête. C'est la publicité qui est l'essentiel et, comme vous le savez, il n'y en a pas de mauvaise. Tant qu'on parle de nous, de la pièce...

— Cela serait plutôt mon point de vue à moi aussi, renchérit l'actrice. Tu ne trouves pas, Jean-Louis ?...

Le metteur en scène s'était fourré les mains dans les poches pour arrêter de se les tordre. Il haussa les épaules.

— Et s'il y a des gosses dans le public, hein ? On n'y a pas pensé, à ça... On ne peut tout de même pas limiter l'entrée aux plus de dix-huit ans !

— Des gosses, des gosses ! répondit l'acteur qui donnait l'impression d'être en train de s'amuser de plus en plus. Ils en ont vu bien d'autres, de nos jours, les gosses ! Ça ne leur ferait ni chaud ni froid.

— À eux, peut-être pas, convint le metteur en scène. Mais à quelque paladin de la vertu à la recherche d'un prétexte quelconque pour monter l'opinion contre les dangereux pourvoyeurs d'idées subversives que nous sommes, en revanche !...

L'auteur, que les regards des trois autres interpelaient régulièrement comme pour solliciter son soutien, ne savait plus trop bien sur quel pied danser. Il tenta de formuler quelques réflexions équilibrées sur l'importance de la cohérence, de l'intégrité artistique, sans oublier les exigences évidentes et pratiques de la réalité concrète, des circonstances externes...

— On pourrait trancher la poire en deux, proposa enfin d'un air rigolard le jeune premier. Elle ne montre qu'un seul néné en incitant les multitudes à l'assaut. Comme ça, s'il y a des crétins qui râlent, on dit que c'était juste un accident de parcours, l'épaulette qui a glissé...

Les autres allaient réagir tous à la fois quand une voix forte cria de faire gaffe, de ne pas rester planté au milieu de la scène, et un cheval de tir, tout harnaché et traînant derrière lui un char encombré de valises, de meubles, de matelas, traversa dignement le plateau de la droite vers la gauche, faisant craquer les lattes du parquet.

— Pourvu qu'il ne laisse pas un petit souvenir de son passage, celui-là, commenta aigrement un bonhomme d'une maigreur remarquable, qui était en train de frotter le plancher avec une serpillière au long manche qu'il plongeait rageusement dans un seau d'eau savonneuse.

— Ce serait encore plus de réalisme ! répliqua un type qui transportait en sens inverse un bout de décor reproduisant un mur en briques balafré de l'impact de rafales de balles.

— C'est quoi qu'on met en scène ici ? demanda un ouvrier barbu, habillé d'une salopette bleue, qui était en train de vérifier le fonctionnement d'un projecteur massif, tout noir et argent, posé dans un coin. « Le *Cromwell* de Victor Hugo ? Elles sont où les masses populaires ? Et les armées ? Elles suivent le cheval ? »

— Elles arrivent, elles arrivent ! répondit un

figurant. On est là, les masses ! C'est nous, les masses !
On se fait en quatre, en huit, en cent ! On est le
peuple qui avance, qui déferle !

— Déferle pas trop à toi tout seul ! cria un autre
figurant habillé de loques. Tu ne veux pas voler la
vedette à nos grands acteurs, quand même, qui sont
au cœur de l'action, eux...

— Et pourquoi pas ? riposta le premier en riant.
C'est la révolution, non ? On aurait le droit, nous, les
damnés des tréteaux...

— Allez, allez, tout le monde à sa place ! trancha le
metteur en scène, qui ne voyait pas d'un mauvais œil
cette occasion de changer de sujet. On n'a pas toute
l'année ! D'ici une heure, on veut pouvoir commencer les répétitions du premier acte.

Le plateau était de plus en plus encombré de monde.
Chacun s'affairait, essayant de ne pas se mettre dans
la voie des autres. Les rideaux rouges oscillaient sur
leurs tringles électriques, les lumières lançaient des
faisceaux, des éclairs, illuminant soudainement des
groupes, des individus, figés dans leur cône de clarté
comme des mouches dans du miel. L'auteur regardait
tous ces gens, qui, en dépit de la confusion apparente,
du bruit et du mouvement, semblaient savoir très
précisément ce à quoi on s'attendait d'eux et travaillaient avec méthode, avec concentration. Il n'en
revenait pas. Cela lui paraissait encore quelque part
invraisemblable de voir pour de bon, en chair et en
os, ces personnages qu'il avait imaginés et auxquels
il n'avait donné vie jusque là que dans sa tête. Mais
alors, combien de fois ! Et tous les autres à côté, tous
les professionnels du métier, ceux qui travaillaient

dans les coulisses et qui maintenant travaillaient au fond pour lui, souvent pour des salaires à la limite du symbolique, ou même pas, pour le plaisir de participer à un événement culturel qu'ils considéraient important, qui méritait même à la rigueur des sacrifices, des heures supplémentaires, des efforts repayés par la conscience du devoir bien fait. Et tous les volontaires, les jeunes étudiants des écoles d'art, de théâtre. Cela le rendait fier, mais l'effrayait aussi un peu.

— Les Chinois ? Où est-ce qu'ils sont, les Chinois ?

— On est là.

— C'est vous, les Chinois ? On ne pouvait pas en trouver des vrais ?

— Il y a lui qui est vrai. On va le mettre devant.

— Et les serfs de la glèbe, ils sont passés où ?

— C'est quoi, les serfs de la glèbe ?

— Les ploucs russes.

— Ah ! J'en ai vu quelques-uns, je ne sais plus où...

— C'est ceux qui se font fusiller ?

— Nous aussi, on doit se faire fusiller !

— Vous, c'est après. En Espagne. Faut pas confondre, c'est pas du tout pareil !

— C'est nous qu'on se fait fusiller en premier, ceux de la Commune !

— C'est ça, oui. À la queue comme tout le monde ! Il y aura des balles pour tous !

Des petits groupes commençaient à se former, à explorer leur territoire, à se disposer en rangs, ou alors, selon les cas, à se donner le bras, à faire front, à se préparer au choc que l'on savait inévitable. Certains attroupements étaient disciplinés, patients, d'autres se poussaient, se heurtaient, se chamaillaient, criaient, pour se mettre dans la peau des personnages, pour que ça fasse vraiment vrai pour de bon. Sur le devant de la scène, en plein milieu, autour de la trappe du souffleur, s'était formé un rassemblement de pouilleux, de va-nu-pieds, les hommes aux barbes incultes, certaines vraies, d'autres assez visiblement postiches, les femmes dans des habits usés, faits de tissus rêches, avec des tabliers maculés d'une infinité de taches innommables, décolorés, misérables. De temps à autre une voix s'élevait pour lancer quelques notes de la Carmagnole et alors ils se mettaient tous à onduler, les bras passés autour des épaules de leurs voisins, et ceux qui savaient les paroles y allaient de quelques couplets, et les autres suivaient en ânonnant des tralalas.

— Vous êtes frappants d'authenticité, il ne vous faut plus qu'un litron de vinasse par personne et un relent de saucisson à l'ail sur l'haleine, commenta avec un ricanement un jeune homme sanglé dans un uniforme noir, ceinture en cuir et bottes reluisantes, qui tenait une cigarette encore éteinte plantée au bord des lèvres, sous une petite moustache noire elle aussi, comme un trait coupant au-dessus de son sourire méprisant. Il tenait une main sur la hanche et de l'autre il tapotait distraitement des doigts contre le mur auquel il s'appuyait.

Deux ou trois membres du groupe l'entendirent, se tournèrent vers lui sans trop savoir comment prendre son affirmation.

— C'est qui, ce zigoto ?

— Il sort d'où ?

— Qu'est-ce qu'il veut ?

L'un d'entre eux se détacha du groupe et s'approcha de l'homme, qui souriait toujours et ne bougeait pas. Il examina à une certaine distance ses cheveux gominés, son uniforme, s'étirant le cou à la pomme d'Adam proéminente et avançant sa lèvre inférieure au-dessous d'une moustache jaunâtre et mal taillée.

— Eh, mais ! s'écria-t-il. C'est un facho !

— Un quoi ?

— C'est pas possible !

— Qu'est-ce qu'il fait là ?

— J'ai autant le droit d'être ici que vous autres, répondit l'homme en se redressant, mais toujours la cigarette au bec comme pour marquer sa nonchalance. Nous l'avons faite, nous, la révolution, en vingt-deux, et pas pour rire. Elle a duré plus de vingt ans ! Ce n'est pas ce qu'on peut dire de la vôtre...

— On va le laisser parler, celui-là ? s'étonna une fille qui ne donnait pas l'impression d'avoir plus de dix-huit ans et qui portait des habits aux couleurs psychédéliques et un bandeau jaune citron autour du front pour tenir en place ses longs cheveux plats. Elle leva les bras, paumes au ciel, se retournant à gauche et à droite, la bouche entrouverte par la surprise, comme pour inciter les autres à se prononcer.

— C'est de la provoc, agréa un garde rouge que le bruit de la discussion avait attiré depuis les coulisses. Elle a raison. Qu'est-ce qu'il vient faire, ici, ce réactionnaire ? Il n'est pas à sa place !

— Qu'on le mette dehors !

— À la trappe, les fachos !

— Oui, vive la libre expression et la confrontation des idées. C'est comme ça qu'on fait, bravo !

Celui qui avait parlé en dernier était habillé à l'ancienne, pauvrement mais sobrement. Il portait une lavallière nouée devant un plastron qui avait l'air d'avoir beaucoup servi, et exhibait au-dessus d'une bouche aux coins tournés vers le bas une moustache aux pointes tournées vers le haut.

— Tu défends les fachos ? lui demanda le garde rouge, sur un ton trop posé pour ne pas être inquiétant.

— Je défends la liberté de parole, répondit l'homme sans se démonter. La liberté de parole de tout le monde. Sans exception. Car s'il y a des exceptions, ce n'est plus la liberté.

— Et alors, répliqua le garde rouge pendant que quelques sans-culottes s'approchaient de lui comme pour lui prêter main-forte, cela te paraît normal de défendre la liberté d'expression de ceux qui t'enlèveraient la tienne dès qu'ils en auraient l'occasion ?

— Les principes, ça ne se discute pas, répondit l'homme en se frisant mollement le bout de la moustache. Et d'ailleurs, vous et les vôtres, vous avez abondamment prouvé votre conception de la liberté d'expression contre les miens, à Kronstadt, en Ukraine et en Catalogne. Vous m'excuserez de ne pas être trop pressé de tomber une fois de plus dans le même panneau.

— Et ce mec, c'est qui ? demanda un type à l'air confus dont l'habillement trahissait des origines vraisemblablement sud-américaines.

— Un anar, sûr et certain, répondit le garde rouge. Un allié objectif de la réaction.

La blonde, qui était la liberté menant le peuple et qui retenait toujours d'une main, avec une conviction relative, l'épaule restante de sa chemisette, tenta de s'interposer.

— Je suis tout de même d'accord, fit-elle en faisant de son mieux pour donner à ses paroles le ton d'une opinion longuement mûrie, que la liberté est le principe absolu. C'est elle qui doit diriger nos pas ! Dans la solidarité.

— Et l'amour ! appuya une autre jeune fille qui portait des fleurs dans les cheveux et un gros symbole pacifiste en fer blanc accroché autour du cou avec une bandelette de cuir brut.

— Les idéalistes à l'eau de rose, répliqua un genre d'ouvrier bedonnant au nez rouge, dont on ne savait pas si c'était un figurant ou un travailleur du théâtre, on les a assez entendus. Avec les jolis discours, on n'obtient jamais rien !

— Bien vrai, ça ! approuvèrent plusieurs.

— Et à votre place, insista le garde rouge à l'adresse des deux jeunes filles, je ferais attention à mes fréquentations. Avec des principes comme ceux-là, vous risquez de vous retrouver à devoir jouer le rôle du « repos du guerrier » un de ces beaux jours, au lieu de celui pour lequel on vous a embauchées.

— C'est du sexisme ! rétorqua la pacifiste, l'air mortellement offensé. De la misogynie pure ! On ne peut s'attendre à rien de mieux de la part d'autoritaires machos comme vous autres !

— La vraie révolution, celle de tous, hommes et femmes indistinctement, est toujours dirigée contre l'autoritarisme, approuva l'anarchiste très posément, comme s'il s'excusait d'énoncer une évidence qui aurait dû se dispenser de tout discours.

— Ça reste à voir, ricana le fasciste, qui s'était décidé enfin à allumer sa cigarette et s'amusait maintenant à faire des ronds de fumée qu'il envoyait planer au-dessus des têtes de ses interlocuteurs. La vraie liberté est celle du peuple, de la communauté, pas celle étriquée des individus, simples atomes insignifiants détachés de tout, qui errent dans le vide.

— Ça, c'est vrai, que la communauté, c'est important, agréa d'une voix un peu pâteuse un jeunot avec des pantalons à pattes d'éléphant et une veste à longues franges, qui sentait la marijuana à dix mètres.

— Toi, la ferme ! lui dit, l'air dégoûté, un type aux allures de métallo. Tu ne sais même pas de quoi tu parles.

— Mais justement, de quoi on parle ? approuva un bolchevik à la calvitie léniniste. C'est carrément pas clair. M'est avis qu'il y a des gens ici qui ne devraient pas y être. C'est la seule chose qui ne se discute pas.

— C'est vrai, approuva une voix venant du milieu d'un groupe de jacobins. Je suis sûr d'avoir vu des Khmers rouges, quelque part.

— Et alors ? répliqua le Chinois, le vrai. Ils ont bien fait une révolution, eux aussi...

— Mais pas la bonne !

— Ah ! Pas pire que la vôtre ! Et laquelle est la bonne, pour finir ? C'est toi qui le détermines ?

— Peut-être pas, mais il ne faut pas être très malin pour savoir lesquelles sont les mauvaises !...

— Ça, c'est ton avis. Tu t'estimes parfaitement objectif à ce point ?

Le jeune premier, qui avait suivi le développement des échanges avec une inquiétude grandissante, se dit que le moment était venu d'intervenir. Il s'éclaircit la voix avec un petit coup de toux, avança d'un pas dégagé jusqu'en plein milieu de la scène et s'adressa à l'ensemble des gens qui maintenant s'y étaient attroupés avec juste ce qu'il faut d'effets de manches pour attirer tous les yeux sur lui.

— C'est l'esprit de la révolution qui est au cœur de la pièce. Son essence. Ce qu'elle a d'éternel et de toujours renaissant au travers de toutes les époques. C'est d'ailleurs pour cela que mon personnage à moi sert de fil rouge, de lien qui relie les ères et les pays, qui montre la présence constante d'un caractère fondamental en dépit des concrétisations superficiellement différentes.

Il gratifia la salle de son meilleur sourire, le plus charmeur, avant de conclure de sa voix de baryton qui faisait un peu penser aux présentateurs de la télévision :

— C'est pour cela qu'il y a de la place dans cette pièce pour toutes les incarnations du concept, dans sa multiplicité d'une richesse infinie.

Il y eut un moment de silence.

L'acteur continuait de sourire.

Puis une voix se fit entendre d'on ne savait pas très bien quel groupe parmi ceux, de plus en plus nombreux, qui avaient envahi les tréteaux.

— C'est vrai, ce qu'il dit, cet imbécile ? Il l'a conçue comme ça, sa pièce, l'auteur ?

— Faudrait le savoir, approuva le garde rouge. S'en assurer.

— Pour une fois, nous sommes d'accord, confirma le fasciste en envoyant un dernier cercle de fumée s'élever vers le fouillis de cordes et de câbles qui cachait le plafond, avant d'écraser le mégot sous le talon de sa botte.

— Une vérification pourrait en effet ne pas se révéler superflue, convint l'anarchiste de sa voix au timbre toujours paisible.

L'auteur et le metteur en scène s'étaient retirés dans un bureau à l'arrière du bâtiment, attendant que tout se mette en place pour ensuite aller, l'un diriger la première répétition, l'autre y assister et éventuellement y contribuer par ses conseils. Ils s'étaient servis une tasse de café soluble, en l'absence de toute autre boisson plus buvable, ayant réchauffé l'eau au four à micro-ondes et avaient malgré tout choqué leurs tasses à la réussite de leur projet commun. Ils furent passablement surpris quand ils entendirent le bruit grandissant des pas d'une foule qui marchait en direction de leur bureau, et quand une main ferme vint frapper trois coups à la porte.

Le metteur en scène ouvrit. Dans le couloir, assez étroit, se tenaient côte à côte le garde rouge, le fasciste et l'anarchiste. Juste derrière eux le jeune premier tentait de se montrer par-dessus leurs épaules, grimaçant des avertissements muets, alors que la blonde liberté, tout aussi visiblement perturbée, se tenait à côté de lui, ayant oublié de suppléer, en pinçant le tissu de ses doigts grassouillets, à ses carences vestimentaires. Derrière eux, le couloir paraissait entièrement rempli d'une foule hétéroclite, étrangement silencieuse.

— Qu'est-ce qu'il y a? demanda le metteur en scène, plus surpris que soucieux, sans s'adresser à quelqu'un en particulier.

— Il y a que... répondirent en chœur et en même temps le garde rouge, le fasciste et l'anarchiste avant de s'arrêter net et de se regarder les uns les autres, clairement irrités.

L'acteur en profita pour tenter de placer son interprétation des choses.

— Il y a que certains comprennent mal le sens de la pièce. Ils se disputent pour savoir quelle est son orientation idéologique.

— On ne voudrait pas que ce soit une tromperie sur la marchandise, résuma un garibaldien à mouchoir écarlate depuis l'arrière.

— On aimerait savoir ce qu'il fait ici, lui, demanda le garde rouge en indiquant le fasciste.

— Question qui pourrait s'étendre à la présence sur scène d'autres personnages idéologiquement et historiquement discutables... précisa l'anarchiste en lorgnant du côté de celui qui venait de parler.

— En somme, ajouta depuis le deuxième rang un sans-culotte mal rasé, nous sommes contraires aux amalgames.

Le metteur en scène se retourna vers l'auteur.

— Je t'avais bien dit qu'il fallait mettre le titre au pluriel.

L'auteur se leva. Il dut s'appuyer au bureau. Il avança vers la porte, vint se placer tout près du metteur en scène. Il se dressa un petit peu sur la pointe des pieds pour regarder jusqu'au bout du couloir, examiner toutes les personnes qui s'y amassaient. Il leur sourit, d'un sourire qui avait quelque chose de rêveur et d'affectueux en même temps, presque de paternel. Puis il dirigea ses yeux sur les trois porte-parole, l'anarchiste avec son expression paisible et ferme, le fasciste avec son sourire en coin ironique et le sourcil gauche légèrement relevé, le communiste avec sa tête sérieuse et son maintien rigide. Il leur ouvrit ses bras.

— Mais non, mais non, je vous assure. Il n'y a aucun amalgame. Vous avez très bien compris. Vous avez compris parfaitement. Retournons sur la scène. Vous verrez. Nous vous montrerons. Tout s'éclaircira au fur et à mesure. Mais vous êtes parfaits. Vous êtes parfaits ainsi. Tous. Vous comprendrez.

Et les bras ouverts, les poussant gentiment devant lui, il les reconduisit lentement sur les tréteaux, encore légèrement perplexes mais obéissants. Cette fois, la liberté fermait la marche, rajustant son habit et songeant déjà aux barricades.

TABLE DES MATIÈRES

Achevé d'imprimer
en mars 2017 sur les presses
de l'Imprimerie Gauvin, à Gatineau